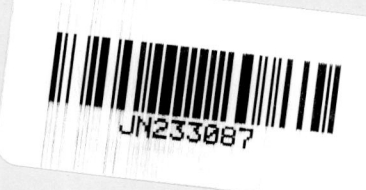

外国人の子どものための日本語

絵《え》でわかるかんたんかんじ200

編著　武蔵野市帰国・外国人教育相談室教材開発グループ

淡島律・加藤順子・河北祐子・小林さおり・田上淳子・永島千代子・野﨑斐子・矢竹富美代

スリーエーネットワーク

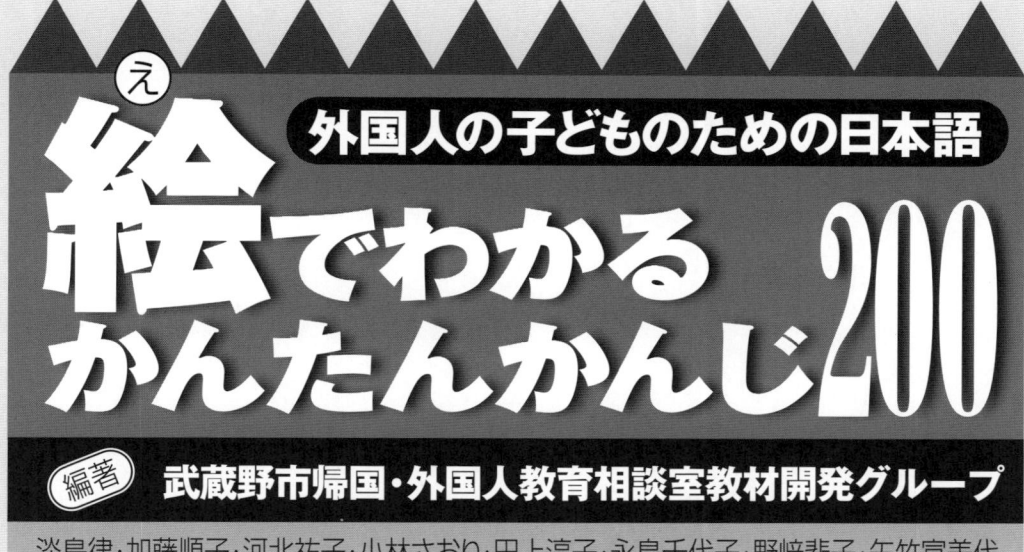

Published by 3A Corporation.
Trusty Kojimachi Bldg., 2F, 4, Kojimachi 3-Chome, Chiyoda-ku, Tokyo 102-0083, Japan

ISBN978-4-88319-377-6 C0081

First published 2006
Printed in Japan

はじめに

日本語を母語としない子どもたち——特に非漢字圏から来日した子どもたち——にとって、漢字の習得は高いハードルになっています。アルファベットなど、今まで親しんできた文字とは異なり、漢字には１つ１つ意味があり、さまざまな読み方がされるからです。このような漢字の性質を理解しながら慣れ親しんでいくことが、学年相応の漢字学習につながります。

本書は、東京都武蔵野市の公立小・中学校で学ぶ外国人児童・生徒に日本語を指導している日本語教師のグループが、日々の指導の中で生み出した教材です。先に出版した「絵でわかるかんたんかんじ80」、「絵でわかるかんたんかんじ160」に続く教材として、小学３年生の教育漢字200字を、外国人児童・生徒が学習しやすいように配慮の上、構成しています。特に、絵を手助けにして、漢字の意味や言葉を認識するステップに重点を置きました。

本書の学習を通して、漢字への興味が広がり、日本語を楽しく学習する手がかりになればと思います。

2006年２月

武蔵野市帰国・外国人教育相談室教材開発グループ

もくじ

お使いになる先生方へ

本書は34課、各課は３ページで構成されており、各課で学習する新出漢字は５字から７字です。漢字の導入には、児童に身近な言葉や教科につながる言葉を選びました。漢字を言葉として繰り返し学習し、定着が図れるようになっています。

学習の進め方

【１ページ目】

導入のページです。まず、各新出漢字について、イラストと文を使って、意味と読みの確認をします。その際には、必ず声に出して練習させてください。

意味と読みが確認できたら、書き練習をしてください。その際には、漢字のへんやつくりを意識させ、書き順やとめ、はらいなどにも注意しながら練習させましょう。

【２・３ページ目】

１ページ目で導入した漢字を練習問題の中で繰り返し読ませながら、漢字語としての定着を図ります。書くことに興味がある児童には、積極的に書かせてください。書くことに負担を感じる児童には、読ませたり、指で指し示すなどさせてもよいでしょう。また、読んで答える問題では、必ず音読させて、漢字の読みの確認をします。

３ページ目の「いろいろな読み方・使い方」には、各問題の中では扱わなかった読み方や使い方を提示しました。ここでは、３年生では習わない漢字も扱っていますが、語彙として必要と思われるものを提出してあります。なお、未習の漢字は文字を薄く表示しています。児童の学習到達のレベルに合わせて、使い方を工夫してください。

●５課ごとに復習のページを入れていますので、ここで読みの確認をしてください。なお、このページでは課の枠を越えて、漢字のグループ分けをしています。

●本書の最後には、既習の漢字を使ったまとめの問題がありますので、総復習としてお使いください。

読み方などの注意点

・新出漢字の読み方は、同じ課の問題の中では、児童の負担を軽くするために、１つにしています。

・振りがなは原則として、新出漢字・初出の読み替え漢字・濁音化や促音化などにより読み方が変わる漢字につけています。ただし、熟字訓や地名などには一部、例外もあります。各課の「いろいろな読み方・使い方」では、すべての漢字に振りがなをつけています。

・各課で扱った読み替え漢字の一覧が、次のページにありますので、ご参照ください。

・巻末には、画数索引も載せましたのでご利用ください。

この本の読み替え漢字

課	「かんたんかんじ80・160」の 漢字の読み替え	この本の漢字の読み替え
1	小《こ》指　上手《じょうず》　読み方《かた》	
2	野《や》さい　入《い》れます	
3	教科書《しょ》	
4	時計《とけい》　新《しん》かん線　今日《きょう》 牛《ぎゅう》にゅう　足《た》して　大《たい》会 長《ちょう》方形《けい》　話《はなし》　出《だ》しました	
5	2人《ふたり》　有名《めい》　歌手《かしゅ》　王子《じ》 来《こ》ない	
6	家《か》ぞく　地《じ》しん　むかし話《ばなし》	
7	1日《ついたち》　赤組《ぐみ》　姉《あね》	
8	父《ちち》　新聞《ぶん》　兄《あに》　母《はは》	
9	太《たい》よう　親鳥《どり》　花《か》だん 分《わ》けましょう	
10	言《こと》葉　回《まわ》ります　下《か》線	言葉《ば》
11	画《かく》数　数《かぞ》えて	
12		着《つ》きました　自転《てん》車
13	きゅう食《しょく》　黒《こく》ばん	
15	白鳥《はくちょう》	えん筆《ぴつ》
16	川上《かみ》　川下《しも》	動《どう》ぶつ
17	じ石《しゃく》　台《たい》風　汽船《せん》　石《せき》油	鉄橋《てっきょう》　木箱《ばこ》　石油《ゆ》
18	市《し》	
19	1分《ぷん》　今年《ことし》　同《どう》級生	水泳《えい》　3階《がい》
20	生《い》きて　起立《りつ》	起《き》立　着《ちゃく》せき

課	「かんたんかんじ80・160」の漢字の読み替え	この本の漢字の読み替え
21	北海道《ほっかいどう》　行《おこな》う　千《ち》葉県　首《しゅ》都 空《くう》港	空港《こう》
22	大切《せつ》　作《さく》者　図《と》書かん	消《しょう》ぼう車　きゅう急《きゅう》車 運《うん》転手
23	勉強《きょう》　文《も》字　し合《あい》　一生《しょう》 後《こう》半	体育《いく》館　美《び》じゅつ館　けん命《めい》
24	両親《しん》　旅行《こう》　今《こん》月	写《しゃ》しん　苦《にが》い
25	童話《わ》　主人《じん》公　物語《がたり》　商店《てん》 上《うわ》ばき　家来《けらい》　休日《きゅうじつ》	住《す》んで　行進《しん》
26	工場《じょう》　入り口《ぐち》　売《ばい》店	
27	大西《せい》洋　発見《けん》	太平《へい》洋　化《か》石　球根《こん》
28	雨《あま》具　生年月《がっ》日《ぴ》	開《ひら》かれた
29		暗《あん》記　い味《み》
30		体重《じゅう》
31	神社《じゃ》　上《のぼ》る　外《がい》国人　交通《つう》	登《とう》ろく　所《ところ》　安《あん》全
32	作《さっ》家	練習《しゅう》　黒板《ばん》　曲《きょく》　放《ほう》か後
33	荷馬《ば》車　八百屋《やおや》	荷物《もつ》　配《はい》たつ　農作物《ぶつ》
34	当《とう》番	始《し》業式　かん係《けい》　部屋《へや》

・振りがなのついた漢字が読み替え漢字です。熟字訓の場合は、漢字語全体に振りがながついています。

・初出課のみ提示しています。

・この表には、各課の「いろいろな読み方・使い方」における読み替えは含みません。

かんじ 3・1・1

歯・指・鼻・息・薬・皮

歯《は》

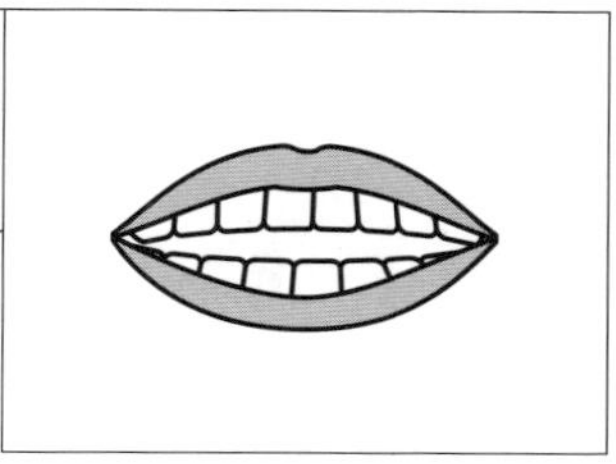

白い歯

指《ゆび》

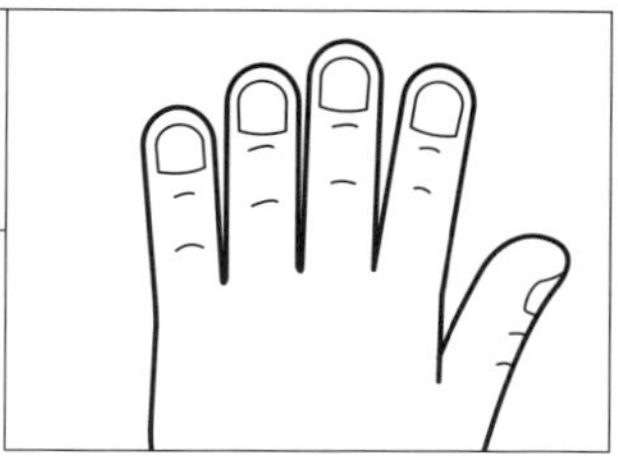

手の指

鼻《はな》

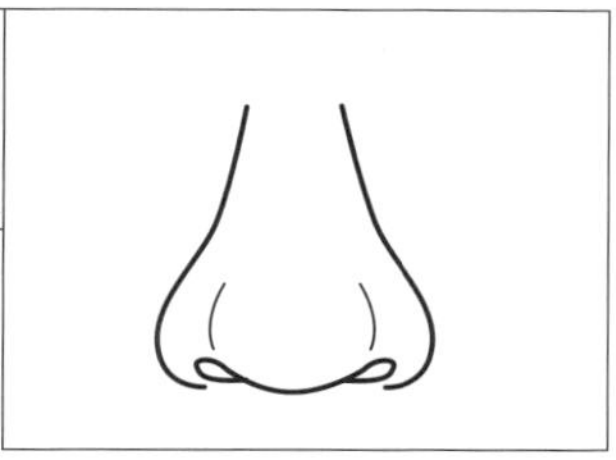

顔のまん中に鼻

息《いき》

息をはく

薬《くすり》

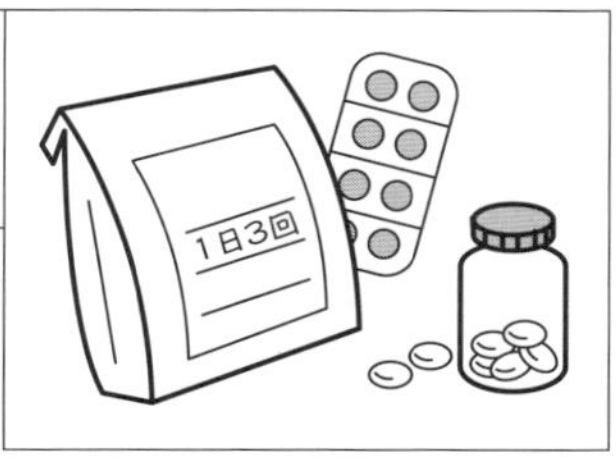

かぜの薬、おなかの薬

皮《かわ》

りんごの皮、バナナの皮

歯	歯		指	指	
鼻	鼻		息	息	
薬	薬		皮	皮	

かんじ 3・1・2

■ ［　　］の中から（　　）に合うことばをえらんで書きましょう。

お母さんがホットケーキをやいています。いいにおいがします。
犬のシロも（　　　）をピクピクうごかします。

わたしは、りんごの（　　　）をむきます。

食べたら（　　　）をみがきます。

かぜをひきました。せきが出ます。のどがいたいです。
鼻がつまって、（　　　）がくるしいです。
（　　　）をのみます。

歯　皮　鼻　息　薬

■どの指をつかいますか。

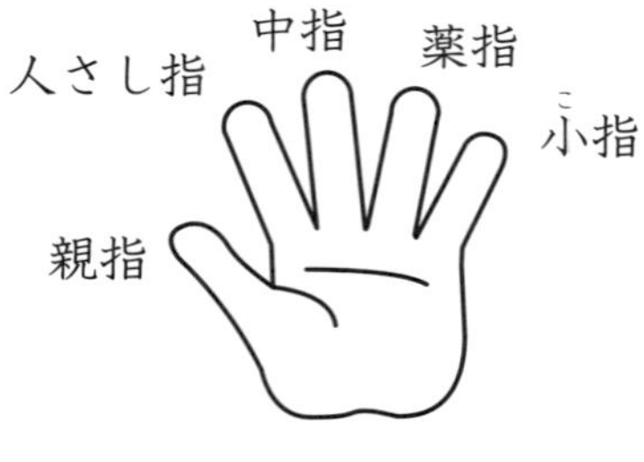

ジャンケンのチョキは（ 中指 ）と（　　　　　）

指ずもうは（　　　　　）

日本では、人さし指・中指・薬指をつかって『3』を
あらわします。あなたの国では、どの指をつかいますか。
（　　　　　）（　　　　　）（　　　　　）

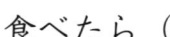

ある日のどうぶつ園

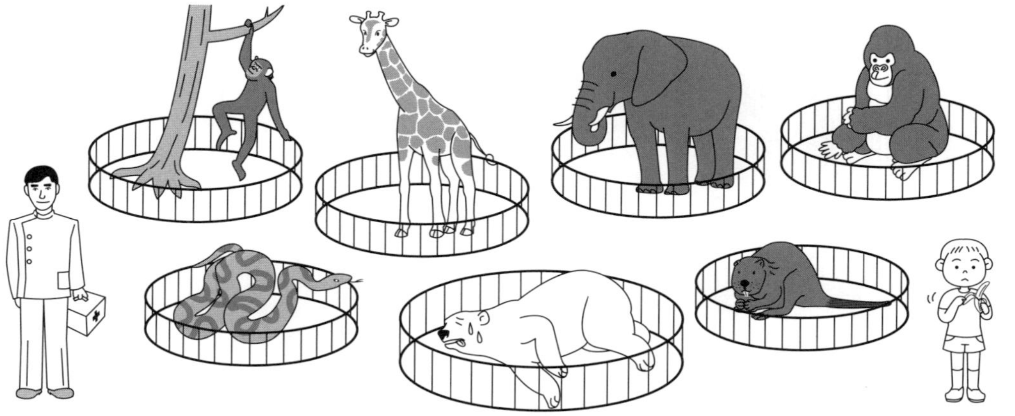

■えらびましょう。

歯が大きいです。
川にすみます。
（さる／（ビーバー）／きりん）

アフリカから来ました。
鼻が長いです。
（ビーバー／きりん／ぞう）

あつくてねています。
ハーハー息をしています。
（きりん／へび／白くま）

くだものをもっています。
皮をむいています。
（たけしくん／ゴリラ／ぞう）

男の人です。
薬のはこをもっています。
（たけしくん／どうぶつ園のおいしゃさん／ゴリラ）

手も指も長いです。
木のぼりが上手《じょうず》です。
（へび／ぞう／さる）

いろいろな読み方《かた》・つかい方

歯	歯《は》	歯科《しか》
指	指《ゆび》	指導《しどう》　指名《しめい》
鼻	鼻《はな》	耳鼻科《じびか》
息	息《いき》	生息《せいそく》
薬	薬《くすり》	薬品《やくひん》　薬局《やっきょく》
皮	皮《かわ》	毛皮《けがわ》　皮《ひ》ふ

豆・酒・油・炭・畑

豆《まめ》

豆はさやの中

酒《さけ》

酒をのむ

油《あぶら》

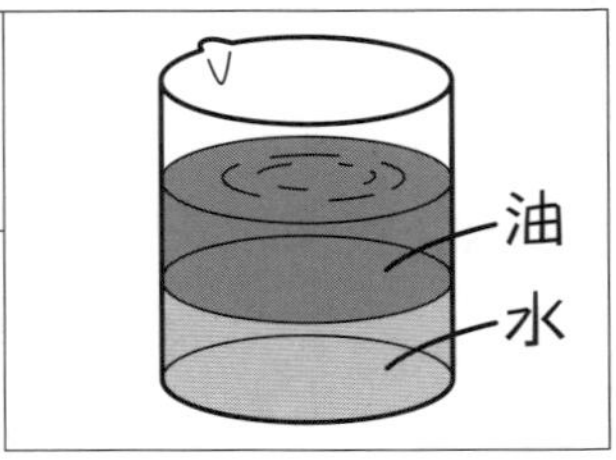

油は水よりかるい

炭《すみ》

炭で肉をやく

畑《はたけ》

畑で野《や》さいを作る

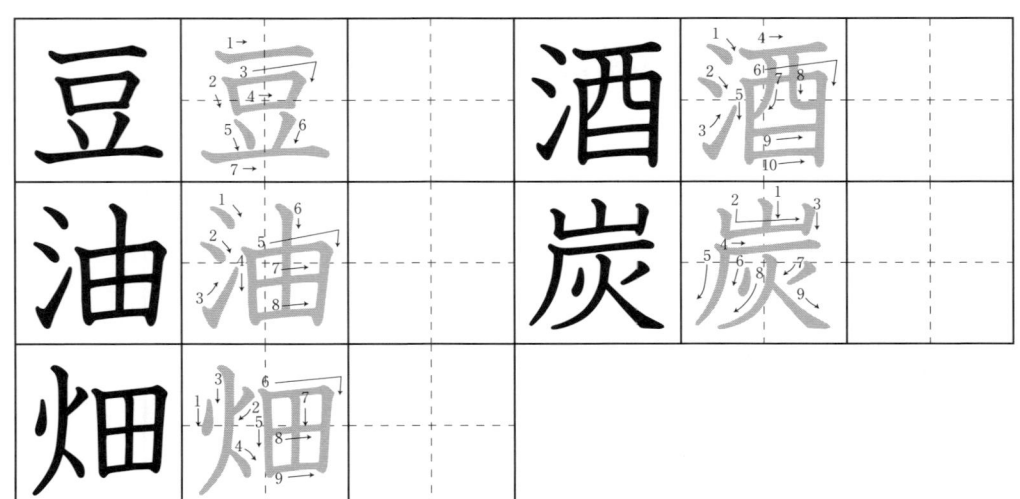

豆	豆		酒	酒	
油	油		炭	炭	
畑	畑				

かんじ 3・2・2

■（　　）の中から合うことばをえらびましょう。

バーベキューをしました。
（ 酒・炭・豆 ）が赤くもえていました。
肉がおいしくやけました。

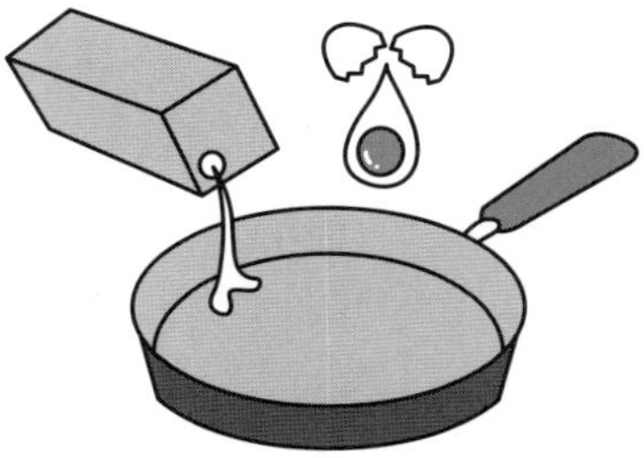

目玉やきを作ります。
フライパンに（ 油・豆・炭 ）を入《い》れます。
それからたまごを入れます。

お父さんは（ 水・酒・油 ）をのんで、
よっぱらってしまいました。

（ 炭・畑・油 ）でえんどうをそだてました。
小さいさやの中には、みどり色の（ 炭・豆・酒 ）
が入っていました。

■なかまはずれはどれでしょうか。○をつけましょう。

顔（ 鼻・歯・口・目・足 ）

酒（ ビール・ワイン・ウィスキー・ジュース ）

畑（ キャベツ・たまご・たまねぎ・にんじん ）

もえるもの（ 油・炭・石・紙・木 ）

食べもの（ 米・戸・豆・肉・魚 ）

かんじ 3・2・3

■ □の中から合うことばをえらびましょう。

・水みたいで、のむとよっぱらうものは？　（　　　）

・水みたいで、水よりかるいものは？　（　　　）

・黒くて、もえると赤くなるものは？　（　　　）

・野さいを作るところは？　（　　　）

・米を作るところは？　（　　　）

・顔のまん中にあるものは？　（　　　）

・丸くて、小さくて、食べられるものは？　（　　　）

酒　油　畑　田　炭　豆　鼻

いろいろな読み方・つかい方

豆	豆《まめ》	豆《とう》ふ　納豆《なっとう》
酒	酒《さけ》	酒屋《さかや》　日本酒《にほんしゅ》
油	油《あぶら》	石油《せきゆ》　油田《ゆでん》
炭	炭《すみ》	石炭《せきたん》
畑	畑《はたけ》	田畑《たはた》　花畑《はなばたけ》

かんじ 3・3・1

暑・寒・軽・重・暗・短

暑《あつ》い

暑い！

寒《さむ》い

寒い！

軽《かる》い

みかんのほうが軽い

重《おも》い

すいかのほうが重い

暗《くら》い

暗いへや

短《みじか》い

短いえんぴつ

暑	暑		寒	寒	
軽	軽		重	重	
暗	暗		短	短	

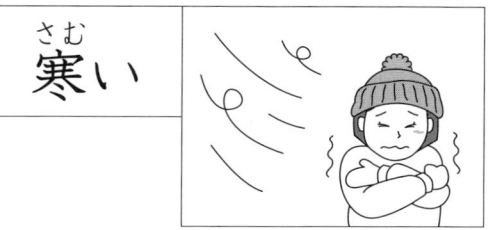

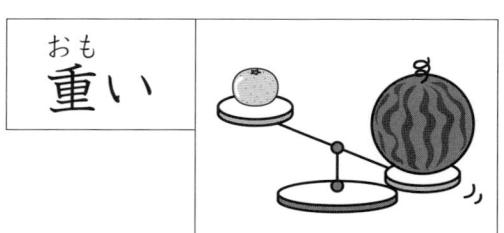

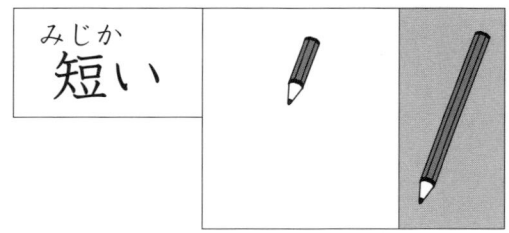

かんじ 3・3・2

■ □の中から（　　）に合うことばをえらんで書きましょう。

夏休みに、お父さんとふじ山にのぼりました。ふじ山は日本で一番高い山です。その日はとてもいい天気でした。

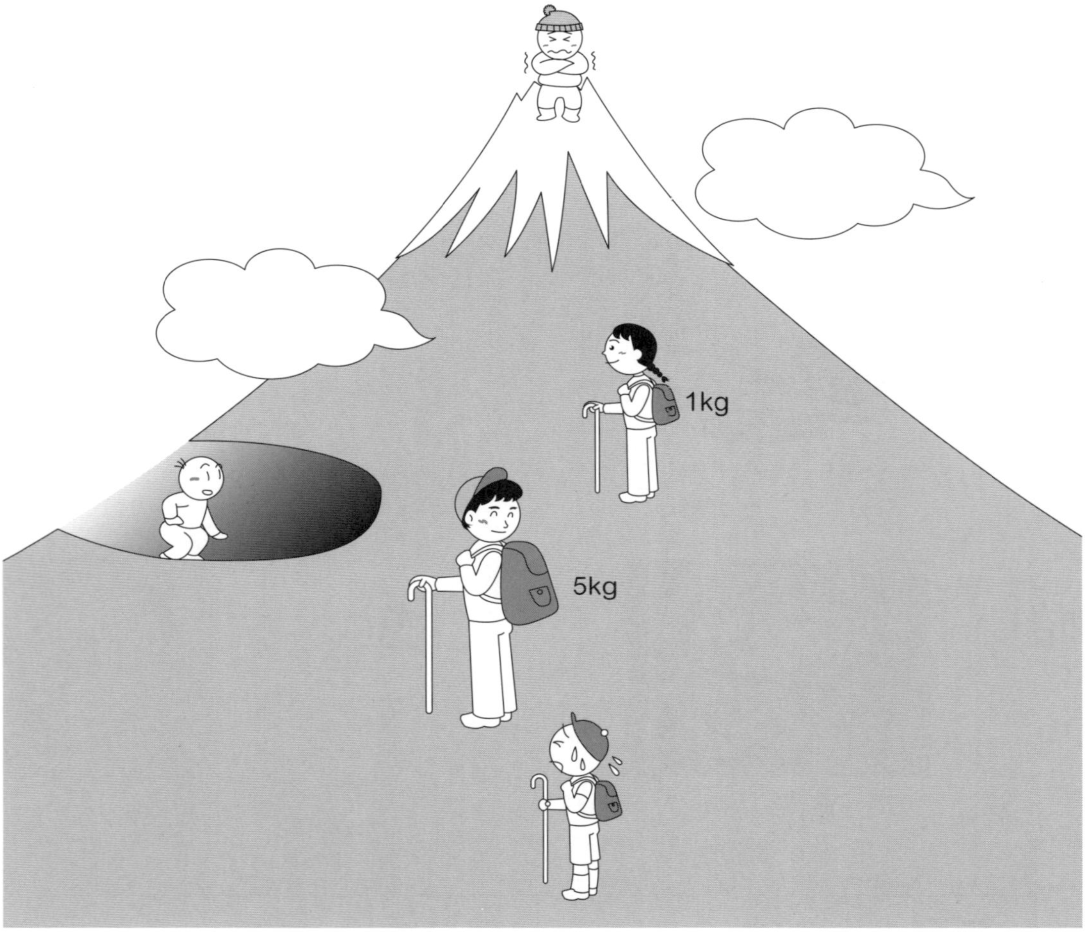

・山の上は（　　　　）です。
・お父さんのつえは長いですが、わたしのつえは（　　　　）です。
・お父さんのにもつは（　　　　）ですが、わたしのにもつは（　　　　）です。
・あなの中は（　　　　）です。
・山の下は（　　　　）です。

暑い　暗い　短い　軽い　寒い　重い

かんじ 3・3・3

■線でむすんで、文をかんせいさせましょう。

海の中では体が・	・暗くなります。
教科書《しょ》をぜんぶ入れるとかばんが・	・短くなります。
寒い朝、息が・	・長くなります。
日本では、春になると昼の時間が・	・重くなります。
日本では、秋になると昼の時間が・	・軽くなります。
ライトをけすと教室が・	・白くなります。

■はんたいのいみをあらわすことばを線でむすびましょう。

短い　細い　太い　重い　暗い　明るい　強い　古い　弱い　寒い　暑い　長い　新しい　軽い

いろいろな読み方・つかい方

暑	暑《あつ》い	暑中《しょちゅう》　残暑《ざんしょ》
寒	寒《さむ》い	寒波《かんぱ》　寒冷《かんれい》
軽	軽《かる》い	気軽《きがる》　身軽《みがる》　軽食《けいしょく》
重	重《おも》い	重荷《おもに》　体重《たいじゅう》　重病《じゅうびょう》　貴重品《きちょうひん》
暗	暗《くら》い	暗記《あんき》　暗号《あんごう》　明暗《めいあん》
短	短《みじか》い	短気《たんき》　短所《たんしょ》　短文《たんぶん》　短縮《たんしゅく》

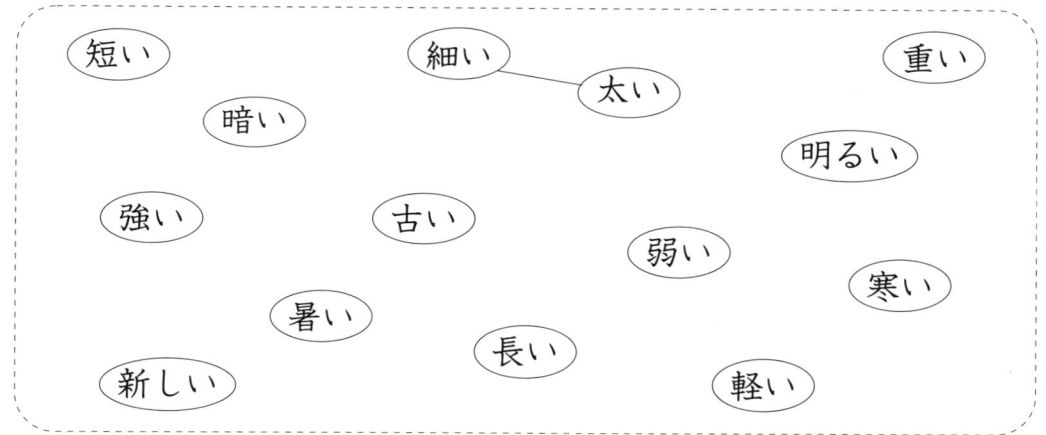

かんじ 3・4・1

悪・安・深・速・等・苦

悪《わる》い

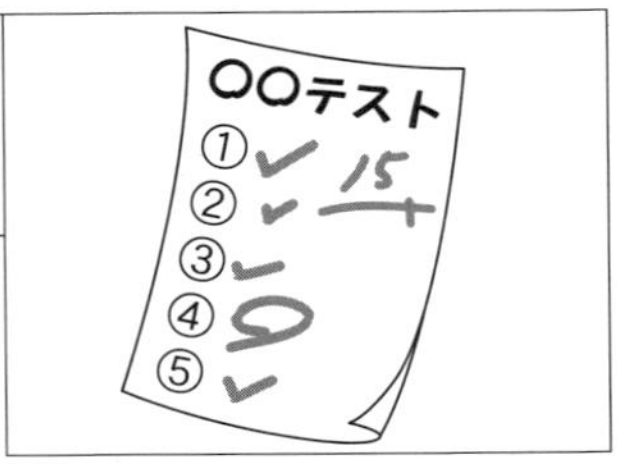

テストの点が悪い

安《やす》い

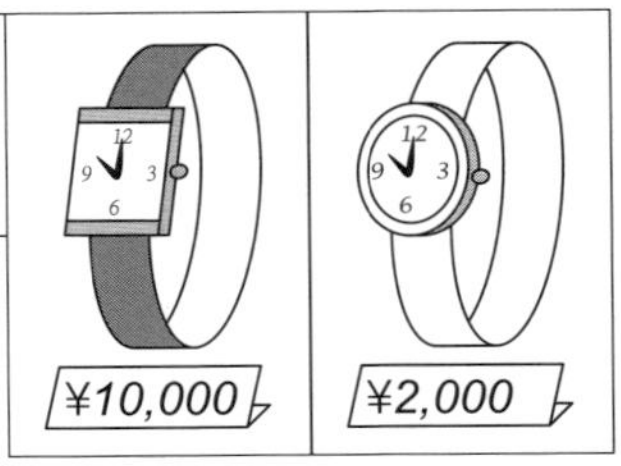

丸い時計《とけい》のほうが安い

深《ふか》い

ここは深い

速《はや》い

新《しん》かん線は速い

等《ひと》しい

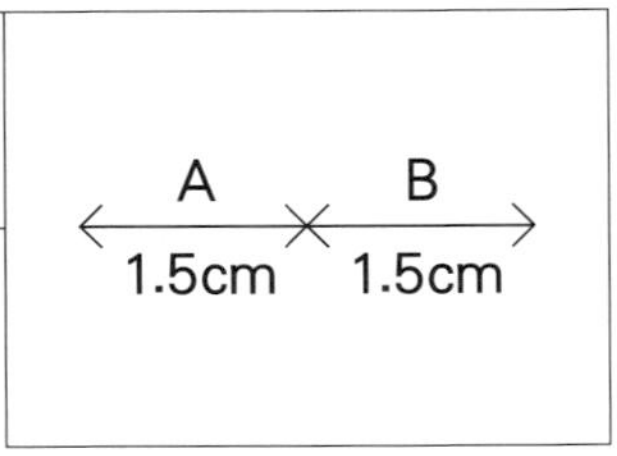

ＡとＢは長さが等しい

苦《くる》しい

息が苦しい

悪	悪		安	安	
深	深		速	速	
等	等		苦	苦	

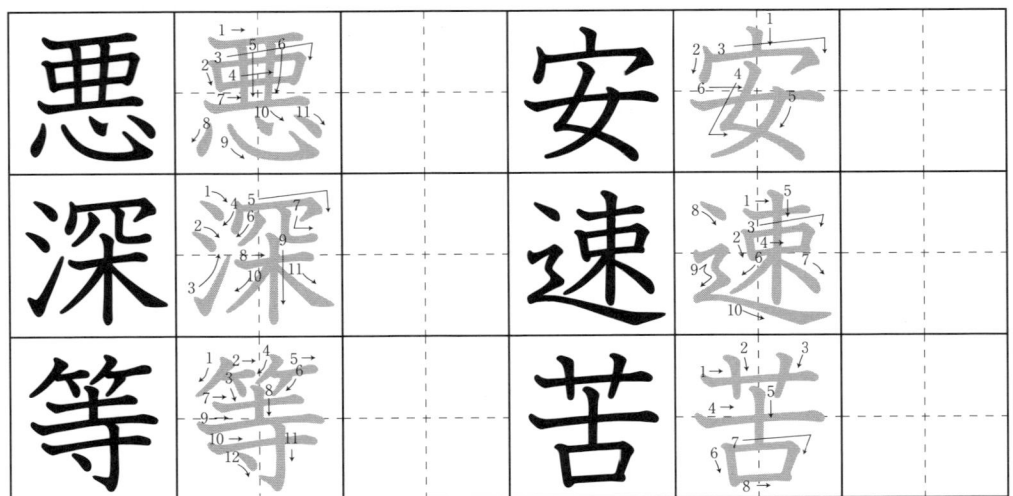

かんじ 3・4・2

■ □ の中から（　　）に合うことばをえらんで書きましょう。

・天気が（　　　　　　）ので、外であそべない。

・今日《きょう》は、牛《ぎゅう》にゅうが（　　　　　　）ので、たくさん買う。

・食べすぎて（　　　　　　）。

・たけしくんは（　　　　　　）海で、おぼれそうになった。

・12に９を足《た》しても18に３を足しても答えは（　　　　　　）。

・チーターはライオンより走るのが（　　　　　　）。

深い　安い　速い　苦しい　悪い　等しい

■（　　）の中から合うことばをえらびましょう。

・かぜをひいた。せきが出て（ 楽しい・苦しい ）。

・マラソン大《たい》会があった。
一番（ 速い・短い ）人が、金メダルをもらった。

・おじいさんは、いつも元気だ。
体に（ 悪い・よい ）ものは、食べない。

・この川は（ 深い・あさい ）ので、およいではいけない。

・長《ちょう》方形《けい》のたてとよこの長さは（ 等しい・等しくない ）。

・このえんぴつは１本60円だが、１ダース買うと600円になる。
１ダース買うと、１本のねだんは（ 高くなる・安くなる ）。

かんじ 3・4・3

■文を読みましょう。そしてお話《はなし》のじゅんに、絵に番ごうを書きましょう。

①おじいさんのかわいがっていた犬が、きゅうに走り出《だ》しました。

②犬が速く走るので、おいつけません。おじいさんは息が苦しくなりました。

③犬は畑のそばに止まって「ワンワン」とほえました。

④それから、あなをほりました。深いあなでした。

⑤あっ！　何か金色に光っています。たからものです。

⑥となりにすんでいる悪いおじいさんもあなをほりました。でも、何も出てきませんでした。

（ ① ）

（　　）

（　　）

（　　）

（　　）

（ ⑥ ）

いろいろな読み方・つかい方

悪	悪《わる》い	悪口《わるくち》　悪人《あくにん》　悪化《あっか》
安	安《やす》い	安《やす》売《う》り　安全《あんぜん》　安心《あんしん》　不安《ふあん》
深	深《ふか》い	水深《すいしん》　深呼吸《しんこきゅう》
速	速《はや》い	速度《そくど》　風速《ふうそく》　高速道路《こうそくどうろ》
等	等《ひと》しい	上等《じょうとう》　平等《びょうどう》　等分《とうぶん》
苦	苦《くる》しい	苦《にが》い　苦手《にがて》　苦心《くしん》　苦労《くろう》

かんじ **3・5・1**

悲・美・幸・福・有・平

悲《かな》しい

悲しい出来《でき》ごと

美《うつく》しい

美しい花

幸福《こうふく》

幸福な２人《ふたり》

有名《ゆうめい》

有名な山

平《たい》ら

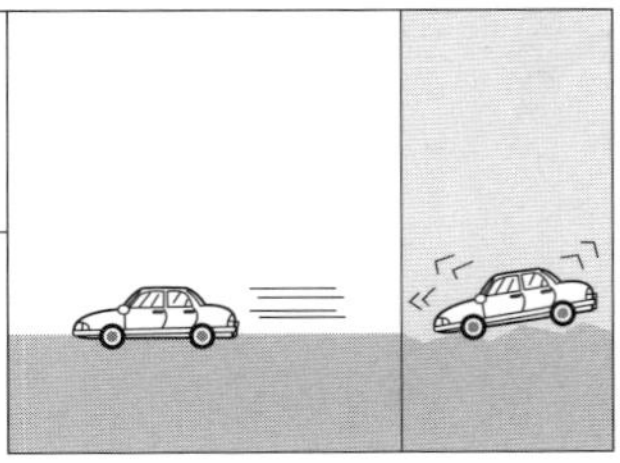

平らな道

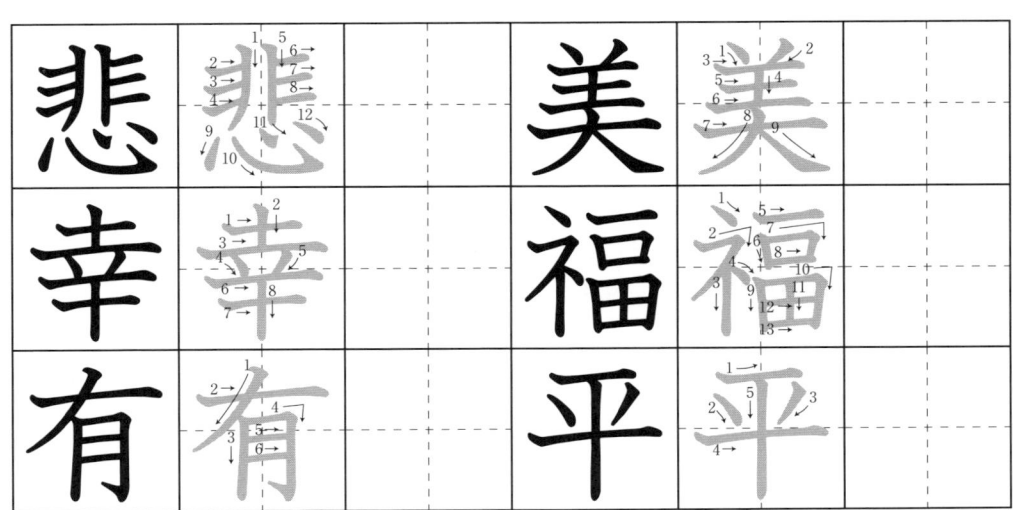

悲	悲		美	美	
幸	幸		福	福	
有	有		平	平	

かんじ 3・5・2

■（　　）の中から合うことばをえらびましょう。

・この歌手《かしゅ》はテレビや本でよく見る（ 有名な・平らな ）人です。
・てんらん会で（ 美しい・正しい ）絵をたくさん見ました。
・山道の（ 元気な・平らな ）ところで、おべんとうを食べました。
・シンデレラは王子《じ》さまとけっこんして、（ 有名に・幸福に ）くらしました。
・うちの犬がしんでしまったので、（ 楽しい・悲しい ）です。

■線でむすびましょう。

先生にしかられた。 ・　　・  ・　　・悲しい

ゆう園地に行った。 ・　　・  ・　　・苦しい

500メートル走った。 ・　　・  ・　　・楽しい

■（　　）の中から合わないことばをえらんで×をつけましょう。

元気な　＋　（ 人・~~道~~・馬・子 ）

有名な　＋　（ 人・絵・店・右 ）

幸福な　＋　（ 人・油・生活・けっこん ）

平らな　＋　（ 犬・野原・場しょ・やね ）

かんじ 3・5・3

■読みましょう。

これは　有名な　イソップの　お話です。

ある日　きつねが　つるに　言いました。
「ぼくの　家に　あそびに　来《こ》ないか。」
つるは　きつねの　家に　行きました。
きつねは　スープを　平らな　さらに　入れて　つるに　出しました。
きつねが　言いました。「ああ　おいしい。」でも　くちばしの　長い
つるは　のむことが　できません。いじわるな　きつねは　楽しそうに
見て　いました。

つぎの日　つるが　きつねに　言いました。
「ぼくの　家に　あそびに　来ないか。」
きつねは　つるの　家に　行きました。
つるは　スープを　深くて　美しい　つぼに　入れて　出しました。
つるは　言いました。「ああ　おいしい。」でも　きつねは　深い　つぼの
中の　スープを　のむ　ことが　できません。つるは　幸福な　気もちに
なりましたが　きつねは　悲しそうに　見て　いるだけでした。

いろいろな読み方・つかい方

悲	悲《かな》しい	悲劇《ひげき》　悲鳴《ひめい》
美	美《うつく》しい	美人《びじん》　美術《びじゅつ》
幸	幸福《こうふく》	幸運《こううん》　不幸《ふこう》　幸《しあわ》せ
福	幸福《こうふく》	福引《ふくび》き
有	有名《ゆうめい》	有効《ゆうこう》　有料《ゆうりょう》　有《あ》る
平	平《たい》ら	平《ひら》たい　平行《へいこう》　水平線《すいへいせん》

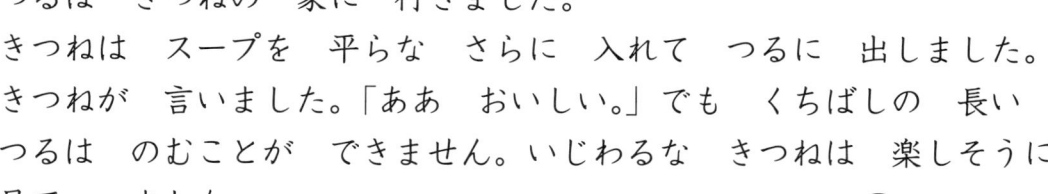

ふくしゅう1（1～5）

歯・	・はな
指・	・かわ
鼻・	・は
息・	・くすり
薬・	・ゆび
皮・	・いき

炭・	・さけ
油・	・はたけ
酒・	・まめ
畑・	・すみ
豆・	・あぶら

暗い・	・わるい
寒い・	・あつい
悪い・	・さむい
暑い・	・ふかい
深い・	・くらい

重い・	・みじかい
軽い・	・おもい
速い・	・やすい
短い・	・かるい
安い・	・はやい

等しい・	・かなしい
苦しい・	・ひとしい
悲しい・	・うつくしい
美しい・	・くるしい

平ら・	・こうふく
有名・	・たいら
幸福・	・ゆうめい

かんじ 3・6・1

投・泳・打・登・受・転

投《な》げる

ボールを投げる

泳《およ》ぐ

海で泳ぐ

打《う》つ

ボールを打つ

登《のぼ》る

木に登る

受《う》ける

ボールを受ける

転《ころ》ぶ

道で転ぶ

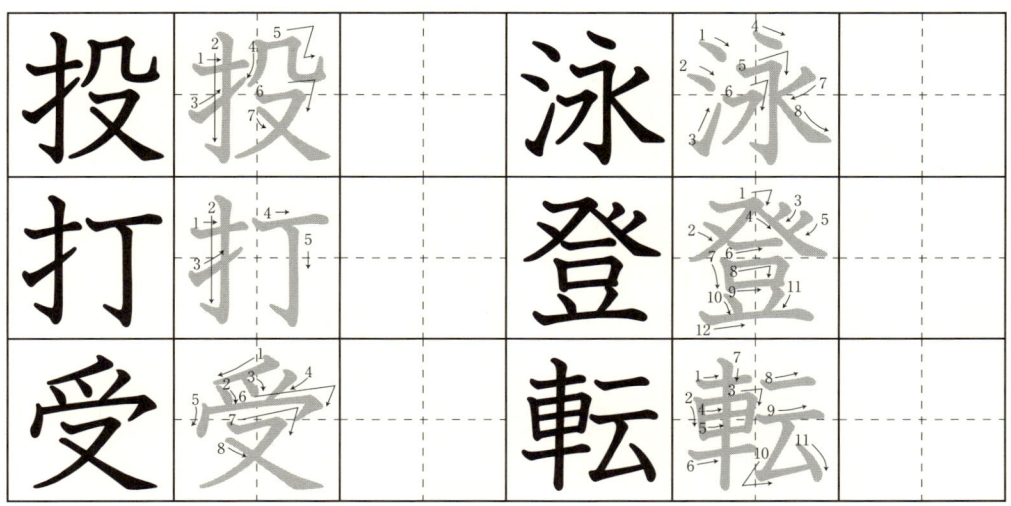

投	投		泳	泳	
打	打		登	登	
受	受		転	転	

かんじ 3・6・2

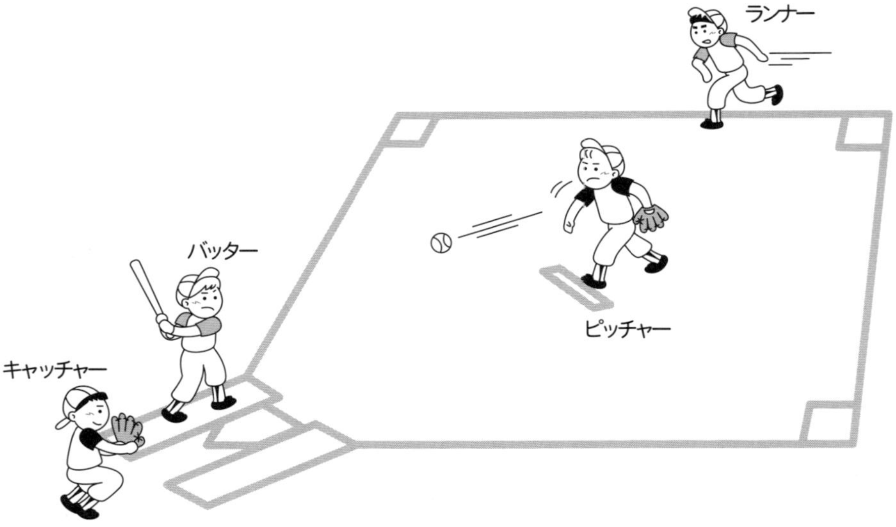

■広場で野きゅうをしています。

それぞれ、何をする人でしょう。

ランナー	（　走る　）人
バッター	（　　　　）人
ピッチャー	（　　　　）人
キャッチャー	（　　　　）人

打つ　投げる
~~走る~~　受ける

■（　　）の中から合うことばをえらびましょう。

・はじめて、スキーをしました。何回も（ 泳ぎました・転びました ）。
・夏休みに家《か》ぞくで、ふじ山に（ 登りました・作りました ）。
・池の中で、小さな魚が（ 歩いています・泳いでいます ）。
・電車のまどから、ものを（ 止めないでください・投げないでください ）。
・絵をかけるために、かべにくぎを（ 打ちます・立ちます ）。
・この町は地《じ》しんで、大きなひがいを（ 受けました・投げました ）。

かんじ 3・6・3

■読みましょう。

これは　日本の　むかし話《ばなし》です。

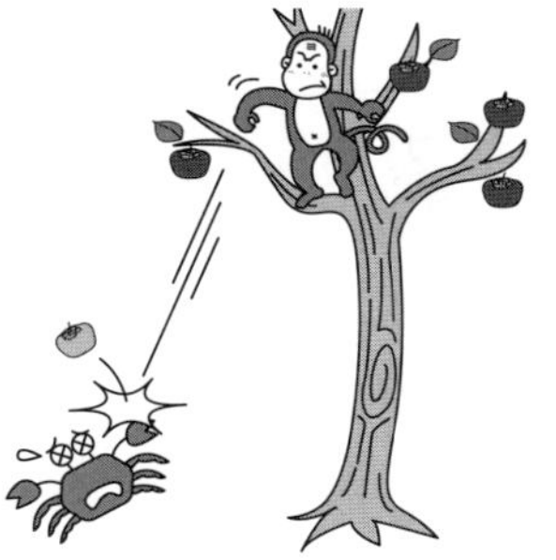

むかしむかし　さると　かにが　いました。
かにの　家には　大きな　かきの　木が　ありました。かには　木に　登ろうと　しましたが　何回　やっても　転がって　おちて　しまいました。
そこへ　さるが　来て　上手に　木に　登り　かきを　食べはじめました。かには「わたしにも　かきを　とって　ください。」と言いました。すると　さるは　青い　かきを　かにに　投げました。かには　かきを　受ける　ことが　できなくて　大けがを　して　しまいました。
かにの　子どもや　なかまは　おこって　さるを　やっつけに　行きました。……

いろいろな読み方・つかい方

投	投《な》げる	投手《とうしゅ》　投票《とうひょう》
泳	泳《およ》ぐ	平泳《ひらおよ》ぎ　水泳《すいえい》
打	打《う》つ	打者《だしゃ》　投打《とうだ》
登	登《のぼ》る	登山《とざん》　登校《とうこう》　登録《とうろく》
受	受《う》ける	受験《じゅけん》　受話器《じゅわき》
転	転《ころ》ぶ	回転《かいてん》　自転車《じてんしゃ》　転校《てんこう》

かんじ 3・7・1

勝・負・始・終・落・拾

勝《か》つ

つよしくんが勝つ

負《ま》ける

ごろうくんが負ける

始《はじ》まる

音楽会が始まる

終《お》わる

音楽会が終わる

落《お》ちる

にもつが落ちる

拾《ひろ》う

くりを拾う

勝			負		
始			終		
落			拾		

かんじ 3・7・2

■（　　）の中から合うことばをえらびましょう。

・1月1日《ついたち》に1年が（ 始まる・終わる ）。

・12月31日に1年が（ 始まる・終わる ）。

・ほうきではく前に、大きなごみを（ 拾う・打つ ）。

・きのうの夜、かみなりが大きな木に（ 落ちた・登った ）。

■じゃんけんをしました。（　　）の中から合うことばをえらびましょう。

・グーとチョキでは、チョキの （ 勝ち・負け ）。

・チョキとパーでは、パーの （ 勝ち・負け ）。

・パーとグーでは、パーの （ 勝ち・負け ）。

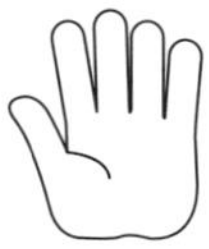

■線をむすんで、文をかんせいさせましょう。

さいふを拾ったので交番に・	・落ちた。
強い風がふいて木のはが・	・負けた。
今日から2学きが・	・始まった。
赤組《ぐみ》は白組に2たい3で・	・とどけた。

かんじ 3・7・3

■（　　）の中から合うことばをえらびましょう。

	姉《あね》	妹
1回目	10	8
2回目	6	12

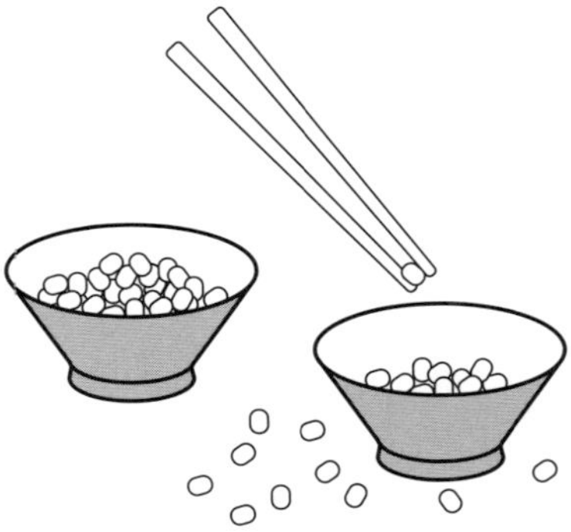

きのう、お姉さんと妹はゲームをしました。茶わんの中の豆を、はしでとなりの茶わんにうつします。ぼくは（ 始め・終わり ）から（ 始め・終わり ）まで見ていました。そして、茶わんの中に入った豆の数を、紙に書きました。

お姉さんは、1回目は（ 勝ちました・負けました ）が2回目は（ 勝ちました・負けました ）。

はしで豆をつまむのがむずかしくて、テーブルの上にたくさん豆が（ 落ちました・拾いました ）。

ゲームの後、3人で豆を（ 落としました・拾いました ）。

いろいろな読み方・つかい方

勝	勝《か》つ	勝手《かって》　勝負《しょうぶ》　優勝《ゆうしょう》
負	負《ま》ける	勝負《しょうぶ》　負担《ふたん》
始	始《はじ》まる	始業式《しぎょうしき》　開始《かいし》
終	終《お》わる	終業式《しゅうぎょうしき》　終点《しゅうてん》
落	落《お》ちる	落馬《らくば》　段落《だんらく》
拾	拾《ひろ》う	拾得《しゅうとく》

かんじ 3・8・1

起・飲・着・遊・服・庭

起《お》きる

毎朝6時に起きる

飲《の》む

水を飲む

着《き》る

シャツを着る

遊《あそ》ぶ

校ていで遊ぶ

服《ふく》

わたしの服

庭《にわ》

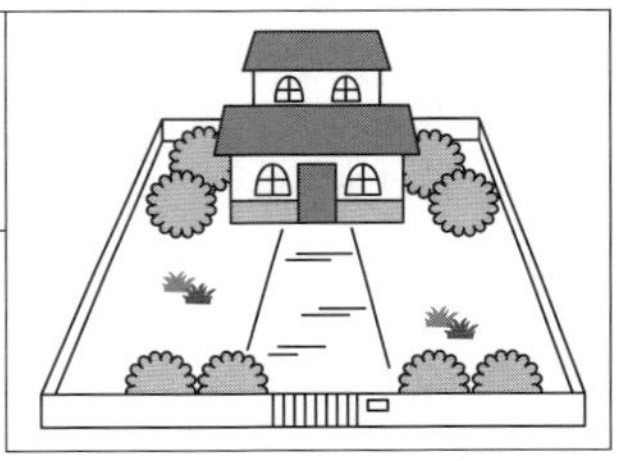

広い庭

起	起		飲	飲	
着	着		遊	遊	
服	服		庭	庭	

かんじ 3・8・2

■ □ の中から（　　）に合うことばをえらんで書きましょう。

①わたしは、朝７時に（　　　　　　）。

②妹は（　　　　　　）を着ます。

③父《ちち》は新聞《ぶん》を（　　　　　　）。

④兄《あに》は牛にゅうを（　　　　　　）。

⑤弟はおもちゃで（　　　　　　）。

⑥母《はは》は（　　　　　　）の木に水をやります。

庭　服　飲みます　遊びます　読みます　起きます

■はんたいのいみをあらわすことばを線でむすびましょう。

起きる・	・負ける
出る・	・売る
勝つ・	・拾う
着る・	・ねる
買う・	・入る
落とす・	・ぬぐ

かんじ 3・8・3

■ □ の中から辶（しんにょう／しんにゅう）のつくかん字をえらんで書きましょう。

速	道	通	遊	遠	近

あそぶ――［辶］ぶ　　ちかい――［辶］い

みち――［辶］　　とおい――［辶］い

とおる――［辶］る　　はやい――［辶］い

■ しりとり

① 理科 → 顔 → □ → 国 → □

② □ → 草 → □ → □ → 四角

音楽	毛虫	服	酒	~~顔~~	庭

いろいろな読み方・つかい方

起	起《お》きる	起立《きりつ》　起《き》しょう
飲	飲《の》む	飲料水《いんりょうすい》　飲食店《いんしょくてん》
着	着《き》る	着《つ》く　とう着《ちゃく》　着席《ちゃくせき》
遊	遊《あそ》ぶ	遊園地《ゆうえんち》　遊歩道《ゆうほどう》
服	服《ふく》	洋服《ようふく》　和服《わふく》
庭	庭《にわ》	校庭《こうてい》　家庭《かてい》

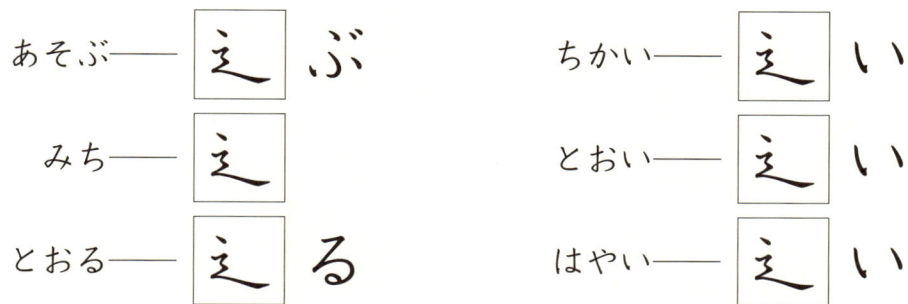

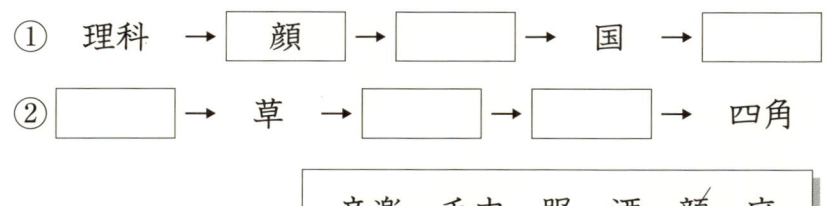

かんじ 3・9・1

植・育・向・葉・根・実

植《う》える

木を植える

育《そだ》てる

ひなを育てる

向《む》く

後ろを向く

葉《は》

葉が落ちる

根《ね》

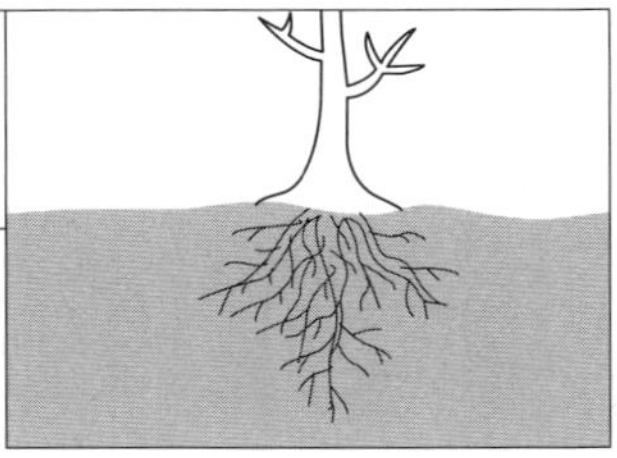

根がのびる

実《み》

赤い実がなる

植	植		育	育	
向	向		葉	葉	
根	根		実	実	

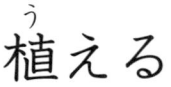

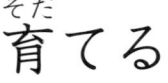

かんじ 3・9・2

■ □ の中から絵に合うことばをえらんで（　　）に書きましょう。

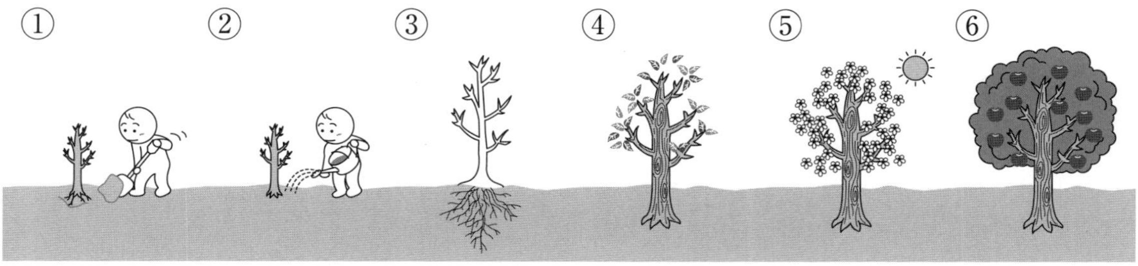

①りんごの木を（　　　　　　）。
②水をやって（　　　　　　）。
③土の中に（　　　　　　）がのびる。
④みどり色の（　　　　　　）が出る。
⑤花は太《たい》ようの方を（　　　　　　）。
⑥秋になると（　　　　　　）がなる。

実
根
葉
育てる
植える
向く

■（　　）の中から合うことばをえらびましょう。

・秋になると（ 薬・葉 ）が赤や黄色になります。

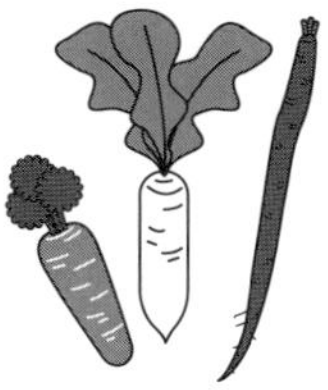

・にんじん、ごぼう、だいこんは（ 村・根 ）を食べます。

・さくらんぼは、さくらの木の（ 家・実 ）です。

・親鳥《どり》がひなを（ 育てます・着ています ）。

・花《か》だんにチューリップのきゅうこんを（ 生えます・植えます ）。

・ひなは、親鳥の方を（ 向いて・聞いて ）鳴いています。

かんじ 3・9・3

木（きへん）のつくかん字は  にかんけいがあります。

艹（くさかんむり）のつくかん字は  にかんけいがあります。

氵（さんずい）のつくかん字は  にかんけいがあります。

宀（うかんむり）のつくかんじは  にかんけいがあります。

■つぎのかん字を4《よっ》つのグループに分《わ》けましょう。

林　室　酒　葉　字　草　実　油　根

寒　海　植　泳　池　花　校　薬

木のつくかん字	艹のつくかん字	氵のつくかん字	宀のつくかん字
林			

いろいろな読み方・つかい方

植	植《う》える	植物《しょくぶつ》　植林《しょくりん》
育	育《そだ》てる	体育《たいいく》　生育《せいいく》
向	向《む》く	方向《ほうこう》　向上《こうじょう》
葉	葉《は》	落《お》ち葉《ば》　言葉《ことば》　紅葉《こうよう》
根	根《ね》	大根《だいこん》　根気《こんき》　球根《きゅうこん》
実	実《み》	実行《じっこう》　実験《じっけん》

かんじ 3・10・1

放・返・助・開・箱・化

放《はな》す

小鳥を空に放す

返《かえ》す

本を返す

助《たす》ける

川に落ちた人を助ける

開《あ》ける

ドアを開ける

箱《はこ》

箱の中にねこがいる

お化《ば》け

「お化け！」

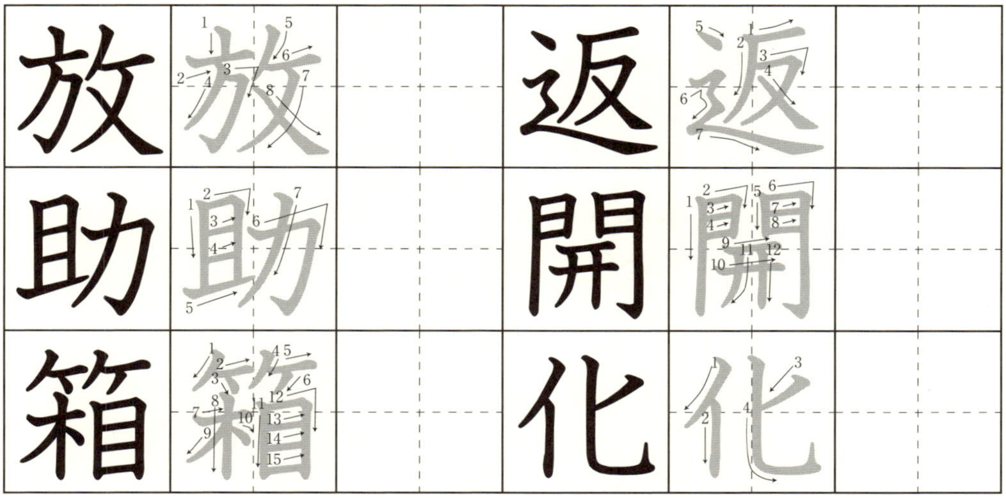

かんじ 3・10・2

■（　　）の中から合う言葉《ことば》をえらびましょう。

庭に犬を（ 放しました・返しました ）。
犬はうれしそうに走り回《まわ》りました。

山田さんにかりたかさを今日、（ 放しました・返しました ）。

古い家に入ると、中はまっ暗でした。そっと手をのばすと、
何かにさわりました。大きい（ 箱・笛 ）でした。
そっとふたを（ 開けました・助けました ）。

「キャーッ、お化けだ！」
「だれか（ 助けて・開けて ）！」

■線でむすんで、文をかんせいさせましょう。

暑いからまどを・	・放す。
けがをした犬を・	・話す。
友だちにかりた本を・	・開ける。
白い鳥を空に・	・直す。
教室で友だちと・	・助ける。
答えをまちがえたので・	・返す。

かんじ 3・10・3

■文を読んで、下《か》線のかん字に読みがなを書きましょう。それから
しつもんに答えましょう。

むかしむかし、うらしまたろうは、悪い子どもたちにいじめられているかめを助けました。『海に返すのが一番いいんだ。』と思い、たろうはかめを海に放しました。

ある日かめは、助けてもらったおれいに、たろうを深い海の中のおしろに、つれて行きました。たろうは、毎日、美しいおどりを見たり、ごちそうを食べたり、お酒を飲んだりして、楽しく遊んでくらしました。

やがて、たろうは、自分の家に帰りたくなりました。帰るとき、おひめさまが、「ぜったいに、開けてはいけません。」と言って、小さな箱をおみやげにくれました。

しつもん① かめは、たろうをどこにつれて行きましたか。
（　　　　　　　）

しつもん② おひめさまは、おみやげに何をくれましたか。
（　　　　　　　）

いろいろな読み方・つかい方

放	放《はな》す	手放《てばな》す　放送《ほうそう》　放課後《ほうかご》
返	返《かえ》す	返事《へんじ》　返信《へんしん》
助	助《たす》ける	助言《じょげん》　救助《きゅうじょ》
開	開《あ》ける	開《ひら》く　開店《かいてん》　開花《かいか》
箱	箱《はこ》	くつ箱《ばこ》　本箱《ほんばこ》　木箱《きばこ》
化	お化《ば》け	化石《かせき》　化学《かがく》

ふくしゅう2（6～10）

転ぶ・	・あそぶ
打つ・	・むく
勝つ・	・うつ
遊ぶ・	・ころぶ
泳ぐ・	・かつ
向く・	・およぐ

登る・	・かえす
拾う・	・きる
飲む・	・はなす
着る・	・のぼる
返す・	・のむ
放す・	・ひろう

服	庭	葉	実	根	箱	お化け
・	・	・	・	・	・	・
・	・	・	・	・	・	・
は	み	はこ	ふく	ね	おばけ	にわ

受ける・	・あける
投げる・	・うける
負ける・	・たすける
開ける・	・まける
助ける・	・なげる

始まる・	・おきる
落ちる・	・そだてる
終わる・	・はじまる
植える・	・おわる
起きる・	・うえる
育てる・	・おちる

かんじ 3・11・1

写・消・習・使・笛・筆

写《うつ》す

字をノートに写す

消《け》す

火を消す

習《なら》う

ピアノを習う

使《つか》う

はしを使う

笛《ふえ》

笛をふく

筆《ふで》

筆で書く

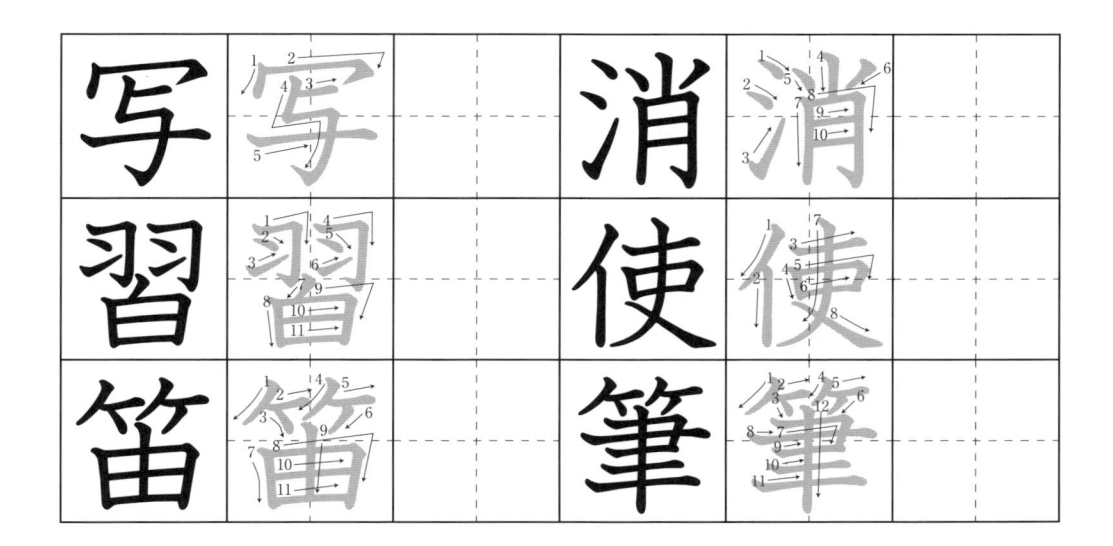

写	写		消	消	
習	習		使	使	
笛	笛		筆	筆	

かんじ 3・11・2

■ □ の中から（　　）に合う言葉をえらんで書きましょう。

- 庭の花をカメラで（　　　　）。
- 長さをはかるとき、じょうぎを（　　　　）。
- 半紙に（　　　　）で字を書く。
- 音楽の時間に（　　　　）をふく。
- お母さんからりょう理を（　　　　）。
- ねる前にへやの電気を（　　　　）。

筆　消す　写す　笛　使う　習う

■画《かく》数を数《かぞ》えてみましょう。

羽は（ 6 ）画 白は（ 5 ）画	習	は（ 11 ）画
竹は（　　）画 由は（　　）画	笛	は（　　）画
竹は（　　）画 木は（　　）画 目は（　　）画	箱	は（　　）画
氵は（　　）画 ⺍は（　　）画 月は（　　）画	消	は（　　）画

かんじ 3・11・3

■ひろしくんは、日記をぜんぶひらがなで書きました。文を読んで、あなたの知っているかん字を使って書き直しましょう。

　きょう、がっこうで、かんじを　いつつ　ならいました。いえで、おばあさんに　てがみを　かきました。ならった　かんじを　つかいました。おばあさんの　じゅうしょは　むずかしいので、おかあさんが　かいたのを　うつしました。うまく　かけなくて、なんかいも　けしました。

☆答えは115ページにあります。

いろいろな読み方・使い方

写	写《うつ》す	写真《しゃしん》	写生《しゃせい》	
消	消《け》す	消化《しょうか》	消火《しょうか》	消防車《しょうぼうしゃ》
習	習《なら》う	練習《れんしゅう》	習字《しゅうじ》	自習《じしゅう》
使	使《つか》う	使用《しよう》	天使《てんし》	
笛	笛《ふえ》	口笛《くちぶえ》	汽笛《きてき》	
筆	筆《ふで》	えん筆《ぴつ》	筆箱《ふでばこ》	

かんじ 3・12・1

乗・進・曲・待・駅・橋

乗《の》る

バスに乗る

進《すす》む

まっすぐ進む

曲《ま》がる

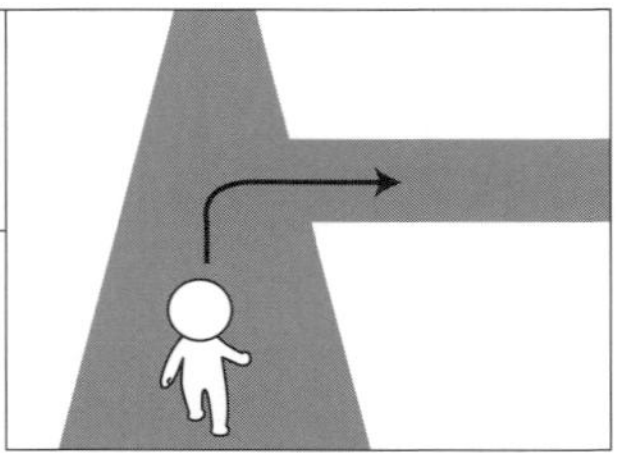

右へ曲がる

待《ま》つ

バスを待つ

駅《えき》

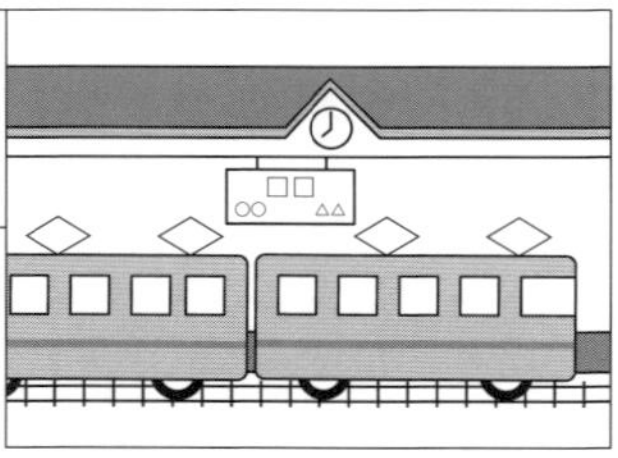

駅に電車が止まる

橋《はし》

橋をわたる

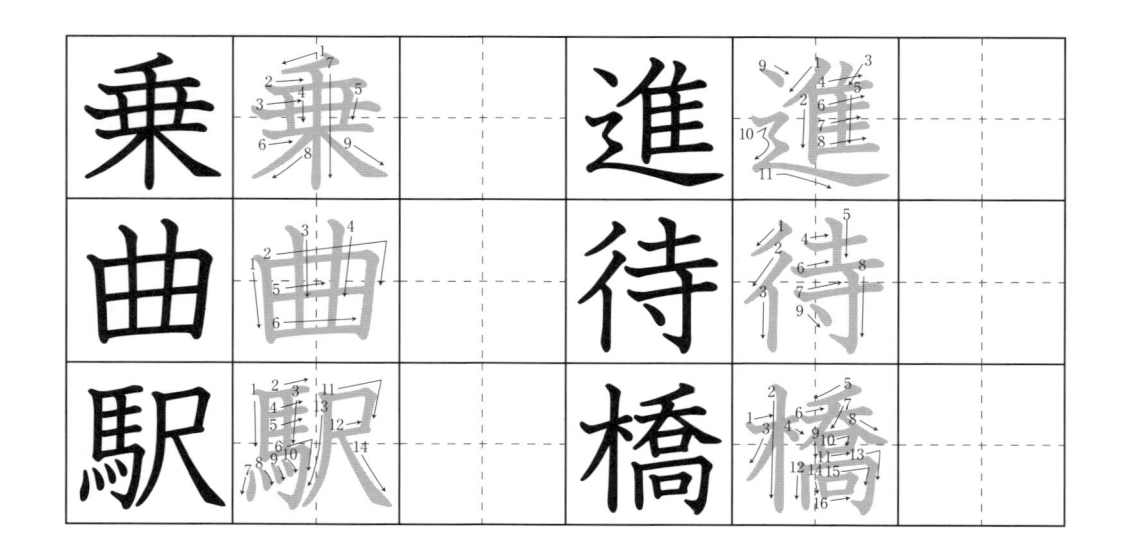

乗	乗		進	進	
曲	曲		待	待	
駅	駅		橋	橋	

かんじ 3・12・2

■（　　）の中から合うことばをえらびましょう。

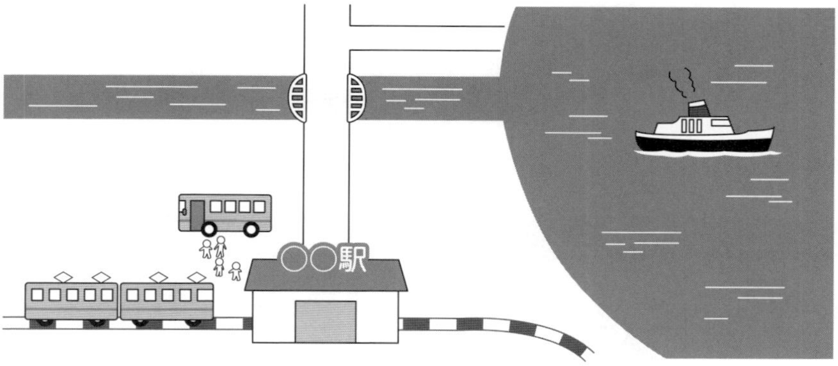

家ぞくで海へ行きます。電車をおりて、（ 橋・池・駅 ）の前でバスを（ 勝ちます・待ちます・立ちます ）。バスが来ます。たくさんの人が（ 売ります・知ります・乗ります ）。前に、大きな川が見えます。（ 駅・池・橋 ）をわたってすぐ右に（ 曲がります・助けます・作ります ）。海が見えてきます。そして、まっすぐ（ 使います・帰ります・進みます ）。さあ、海に着《つ》きました。

■画数を数え、多いほうに○をつけましょう。

油（ 8 ）	近（　　）	時（　　）	村（　　）
酒（ 10 ）	進（　　）	待（　　）	橋（　　）

かんじ　3・12・3

■→の通りに進みます。□から（　　）に合う言葉をえらんで、書きましょう。

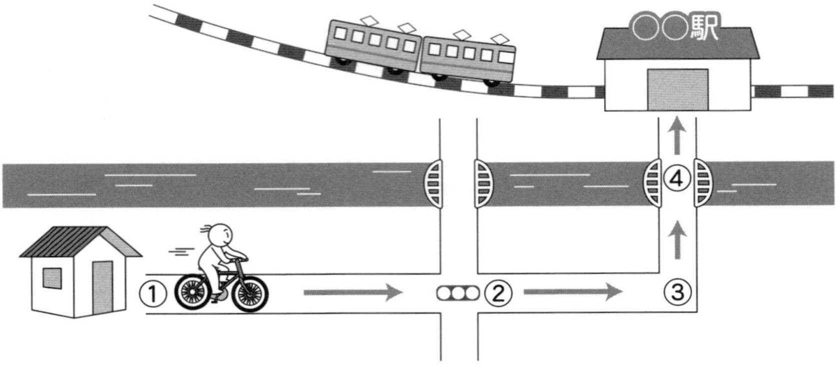

①自転《てん》車に（　　　　　）。
②赤しんごうで（　　　　　）。青しんごうになるまで（　　　　　）。
青しんごうになったら、まっすぐ（　　　　　）。
③左に（　　　　　）。
④そして、（　　　　　）をわたると（　　　　　）に着く。

駅　橋　曲がる　待つ　止まる　乗る　進む

いろいろな読み方・使い方

乗	乗《の》る	乗客《じょうきゃく》　乗車《じょうしゃ》　乗馬《じょうば》
進	進《すす》む	行進《こうしん》　前進《ぜんしん》　進歩《しんぽ》
曲	曲《ま》がる	曲線《きょくせん》　名曲《めいきょく》　曲目《きょくもく》
待	待《ま》つ	招待《しょうたい》　期待《きたい》
駅	駅《えき》	駅前《えきまえ》
橋	橋《はし》	歩道橋《ほどうきょう》　鉄橋《てっきょう》　陸橋《りっきょう》

かんじ 3・13・1

運・配・集・係・皿・局

運《はこ》ぶ

にもつを運ぶ

配《くば》る

手紙を配る

集《あつ》める

落ち葉を集める

係《かかり》

きゅう食《しょく》の係

皿《さら》

丸い皿

局《きょく》

ゆうびん局

運	運		配	配	
集	集		係	係	
皿	皿		局	局	

かんじ 3・13・2

■ゆうびんやさんの１日のしごとです。絵に合う文をえらんで、線でむすびましょう。

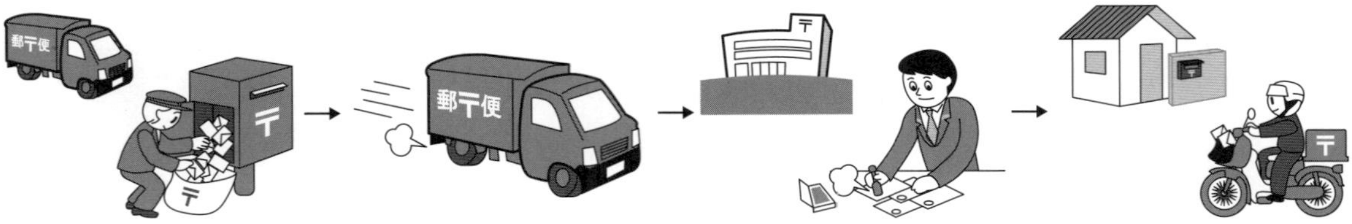

車で手紙を運びます。	手紙をみんなの家に配ります。	ポストの手紙を集めます。	ゆうびん局でスタンプをおします。

■ひろしくんの家ぞくが庭でバーベキューをしています。（　　）の中から合う言葉をえらびましょう。

お父さんは肉や野さいをやく（ 皿・係・箱 ）です。
お母さんはスープを（ 飲んで・運んで・進んで ）います。
ひろしくんはテーブルに（ 箱・筆・皿 ）をならべています。
おいしそうなにおいがしてきました。

かんじ 3・13・3

■下線のかん字に読みがなを書きましょう。

先生が
プリントを
<u>配</u>ります。

⇔

係の人が
プリントを
<u>集</u>めます。

りすが
木の実を
<u>落</u>とします。

⇔

子どもが
木の実を
<u>拾</u>います。

ピッチャーが
<u>投</u>げます。

⇔

キャッチャーが
<u>受</u>けます。

黒《こく》ばんに字を
<u>書</u>きます。

⇔

黒ばんの字を
<u>消</u>します。

いろいろな読み方・使い方

運	運《はこ》ぶ	運動《うんどう》　運転《うんてん》
配	配《くば》る	心配《しんぱい》　配達《はいたつ》
集	集《あつ》める	集合《しゅうごう》　文集《ぶんしゅう》
係	係《かかり》	関係《かんけい》
皿	皿《さら》	小皿《こざら》
局	局《きょく》	薬局《やっきょく》　放送局《ほうそうきょく》

追・動・代・守・決・柱

追《お》う

ねこがねずみを追う

動《うご》く

ロボットが動く

代《か》わる

せん手が代わる

守《まも》る

親鳥はひなを守る

決《き》める

メニューを見て、ピザに決める

柱《はしら》

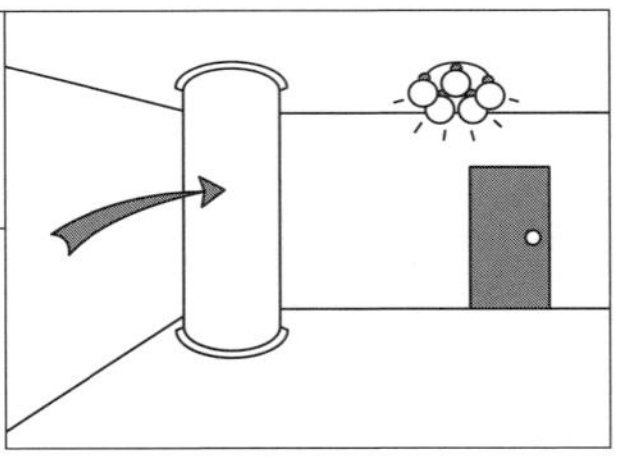

太い柱

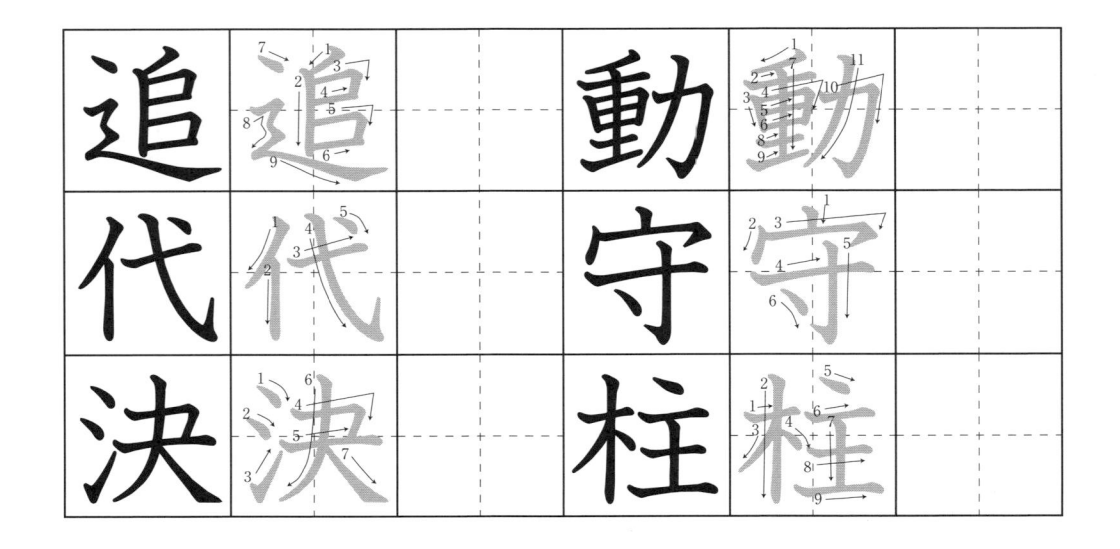

追	追		動	動	
代	代		守	守	
決	決		柱	柱	

かんじ 3・14・2

■ ［　　］の中から（　　）に合う言葉をえらんで書きましょう。

・水車は水の力で（　　　　　　）。
・学きゅう会で、きゅう食の係を（　　　　　　）。
・友だちとのやくそくを（　　　　　　）。
・けいかんがどろぼうを（　　　　　　）。
・ピッチャーがけがをしたので、ほかの人に（　　　　　　）。

決めます　守ります　代わります　動きます　追います

■下の絵はサッカーのいろいろな動きです。絵に合う言葉をえらびましょう。

ボールを｛投げる／追う／受ける

ボールを｛止める／返す／拾う

ゴールを｛登る／配る／守る

シュートを｛決める／止める／集める

かんじ 3・14・3

■読みましょう。

たけしくん、みち子さん、のぼるくんはどの子でしょう。(　　　) の中に名前を書きましょう。

家の中でかくれんぼをして遊びました。4《よ》人でじゃんけんをして、おにを決めました。たけしくんが負けたので、おにになりました。

おにが目をつぶって20数える間に、ほかの人はかくれる場しょをさがしました。みち子さんはつくえの下、のぼるくんはおし入れの中、わたしは太い柱の後ろにかくれました。

みち子さんはつくえの下で少し動いたので、すぐに見つかってしまいました。それで、たけしくんに代わってみち子さんがおにになりました。

いろいろな読み方・使い方

追	追《お》う	追加《ついか》	追放《ついほう》	
動	動《うご》く	運動《うんどう》	自動車《じどうしゃ》	動物《どうぶつ》
代	代《か》わる	代理《だいり》	代金《だいきん》	
守	守《まも》る	守備《しゅび》	留守番《るすばん》	
決	決《き》める	決心《けっしん》	多数決《たすうけつ》	
柱	柱《はしら》	電柱《でんちゅう》	円柱《えんちゅう》	

かんじ 3・15・1

持・取・調・島・湖・氷

持《も》つ

かばんとかさを持つ

取《と》る

リンゴを取る

調《しら》べる

じ書で調べる

島《しま》

小さな島

湖《みずうみ》

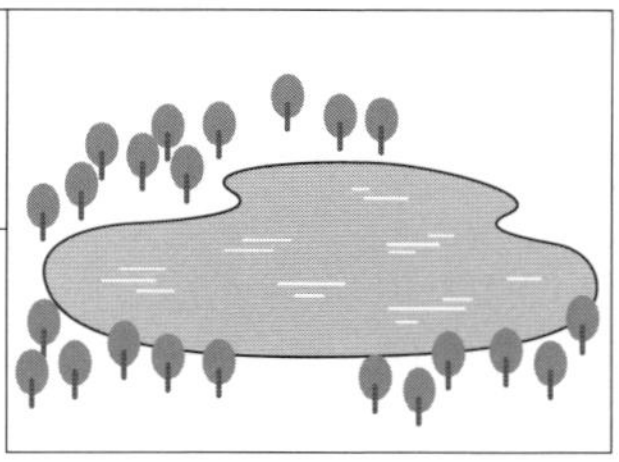

森の中の湖

氷《こおり》

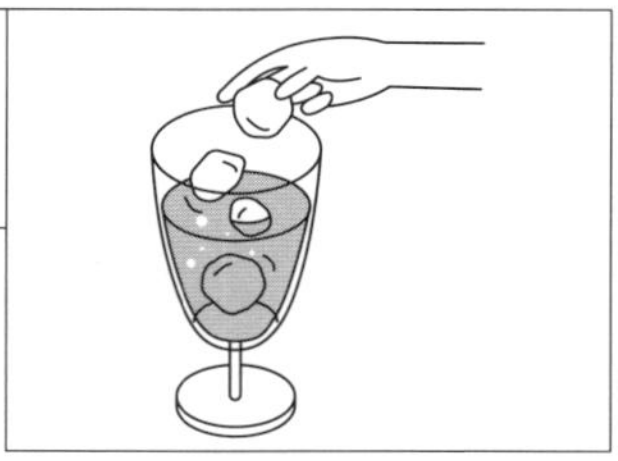

ジュースに氷を入れる

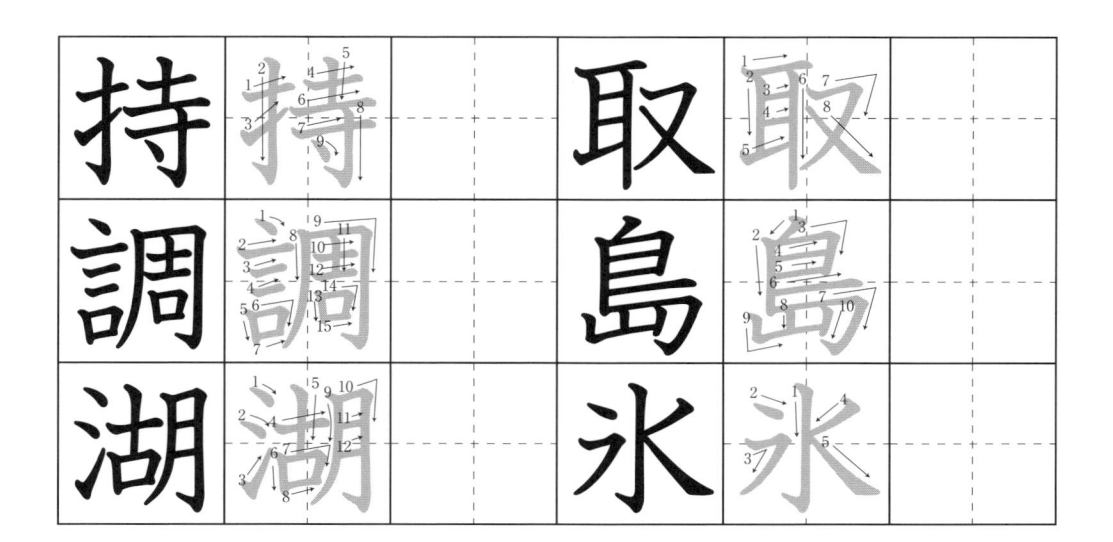

持	持		取	取	
調	調		島	島	
湖	湖		氷	氷	

かんじ 3・15・2

■絵を見て、（　　）の中から合う言葉をえらびましょう。

右手にえん筆《ぴつ》を（ 待ちます・持ちます ）。

（ 氷・水 ）の上をすべります。

遠くに（ 鳥・島 ）が見えます。

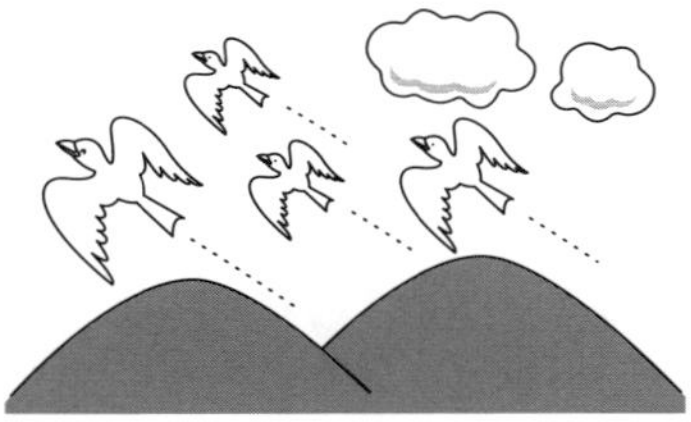

空に（ 鳥・島 ）がとんでいます。

ふみ台に乗って、箱を（ 取ります・通ります ）。

じ書でかん字のいみを（ 話します・調べます ）。

白鳥《はくちょう》が（ 湖・山 ）で泳いでいます。

かんじ 3・15・3

■文を読んでしつもんに答えましょう。

夏、湖の島でキャンプをしました。
虫を取ったり鳥の声を聞いたりしました。
虫や鳥や草の名前を調べました。

冬、湖がこおりました。氷にあなをあけて、
持って来たつりざおで魚つりをしました。

しつもん① 夏、どこでキャンプをしましたか。（　　　　　　）
しつもん② 冬、湖で何をしましたか。（　　　　　　）

いろいろな読み方・使い方

持	持《も》つ	持参《じさん》	支持《しじ》	
取	取《と》る	取材《しゅざい》	採取《さいしゅ》	
調	調《しら》べる	調《ちょう》和《わ》	調《ちょう》査《さ》	調《ちょう》子《し》
島	島《しま》	半島《はんとう》	無人島《むじんとう》	
湖	湖《みずうみ》	湖水《こすい》	湖底《こてい》	
氷	氷《こおり》	氷山《ひょうざん》	氷《ひょう》河《が》	

ふくしゅう3（11～15）

曲がる・	・かわる
集める・	・きめる
代わる・	・まがる
決める・	・しらべる
調べる・	・あつめる

駅・	・みずうみ
橋・	・きょく
局・	・しま
湖・	・はし
島・	・えき

配る	待つ	守る	取る	乗る	持つ	動く
・	・	・	・	・	・	・
・	・	・	・	・	・	・
もつ	とる	うごく	まもる	くばる	まつ	のる

笛・	・はしら
筆・	・こおり
氷・	・さら
柱・	・かかり
係・	・ふで
皿・	・ふえ

写す・	・おう
習う・	・つかう
使う・	・すすむ
追う・	・はこぶ
消す・	・うつす
進む・	・けす
運ぶ・	・ならう

かんじ 3・16・1

流・急・死・血・緑・羊

流《なが》れる

川が流れる

急《いそ》ぐ

おくれないように急ぐ

死《し》ぬ

犬が死ぬ

血《ち》

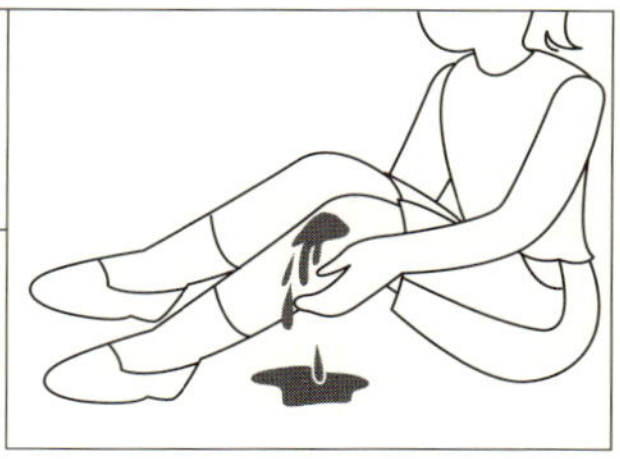

血が出る

緑《みどり》

緑の葉が美しい

羊《ひつじ》

羊の毛はやわらかい

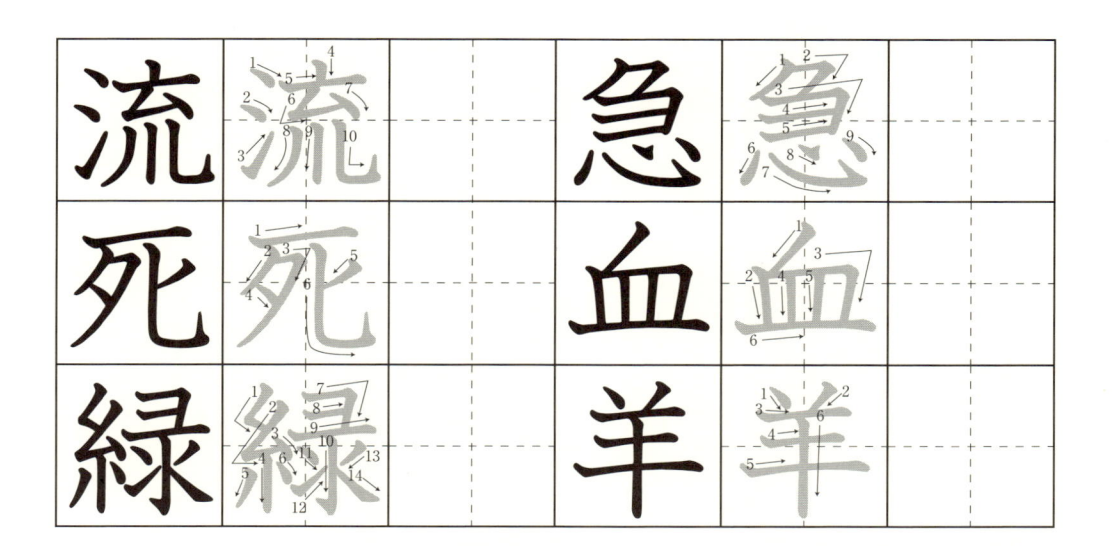

流	流		急	急	
死	死		血	血	
緑	緑		羊	羊	

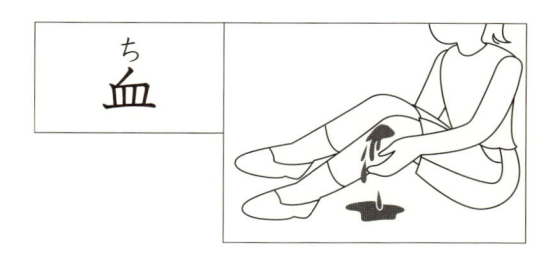

かんじ 3・16・2

■（　　）の中から合う言葉をえらびましょう。

・夏が終わると、せみは（ 生きます・死にます ）。
・朝、学校におくれそうなので（ 急ぎます・泳ぎます ）。
・川の水は、川上《かみ》から川下《しも》へ（ 入れます・流れます ）。
・きゅうりの皮は（ 緑色・茶色 ）です。
・ほうちょうで、指を切ってしまいました。（ 血・皿 ）が出ました。
・セーターを作ります。（ 牛・羊 ）の毛で作ります。

■文を読みましょう。そして、お話のじゅんに、絵に番ごうをつけましょう。

①羊が緑の草を食べています。
②森の中からおおかみが出てきました。
③羊は急いで走りました。
④おおかみが追います。
⑤羊はかみつかれて、体から血が出ました。
⑥かわいそうに羊は死にました。

（　　）

（ ① ）

（　　）

（　　）

（　　）

（　　）

かんじ 3・16・3

■つぎのかん字を３つのグループに分けましょう。読みがなも書きましょう。

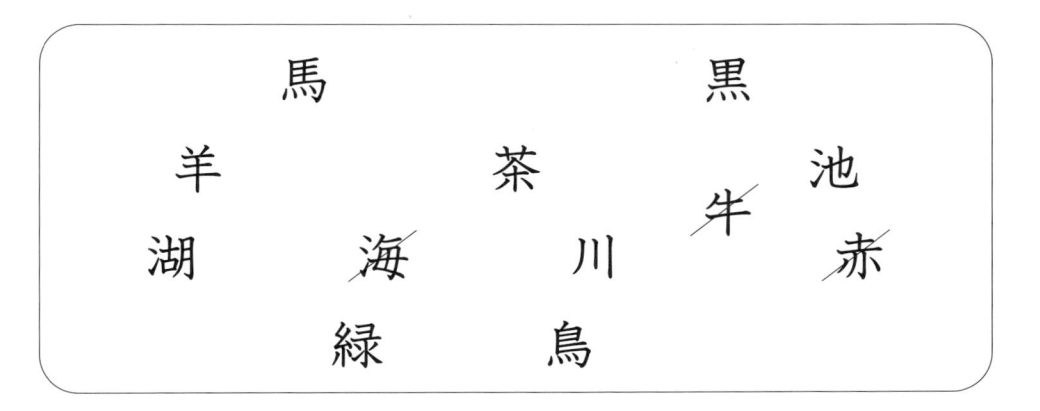

馬　黒

羊　茶　池

牛

湖　海　川　赤

緑　鳥

色	あか 赤
水のあるところ	うみ 海
動《どう》ぶつ	うし 牛

いろいろな読み方・使い方

流	流《なが》れる	流行《りゅうこう》　電流《でんりゅう》
急	急《いそ》ぐ	急《きゅう》に　急流《きゅうりゅう》　救急車《きゅうきゅうしゃ》
死	死《し》ぬ	生死《せいし》
血	血《ち》	血液《けつえき》　血管《けっかん》
緑	緑《みどり》	新緑《しんりょく》　緑茶《りょくちゃ》
羊	羊《ひつじ》	羊毛《ようもう》

かんじ 3・17・1

送・港・波・板・鉄・客

送《おく》る

にもつを送る

港《みなと》

港に船がとまる

波《なみ》

大きい波

板《いた》

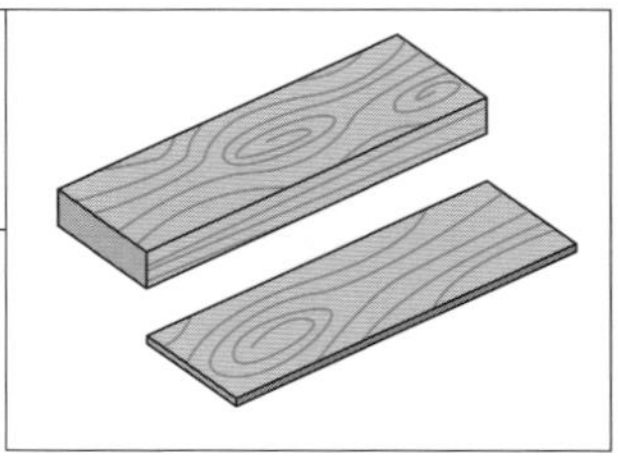

あつい板、うすい板

鉄《てつ》

鉄でできた橋

客《きゃく》

客にお茶を出す

送	送		港	港	
波	波		板	板	
鉄	鉄		客	客	

■（　　）の中から合う言葉をえらびましょう。

駅まで友だちを（ 送ります・乗ります ）。

じ石《しゃく》につくのは（ 板・鉄・紙 ）です。

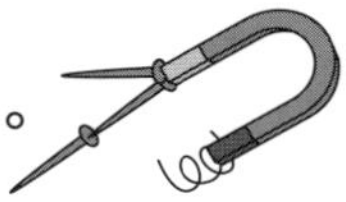

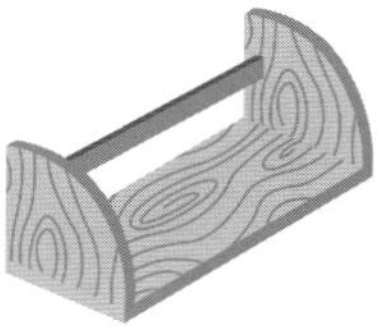

本立てを（ 岩・炭・板 ）で作ります。

台《たい》風で（ 港・波・油 ）が高いです。

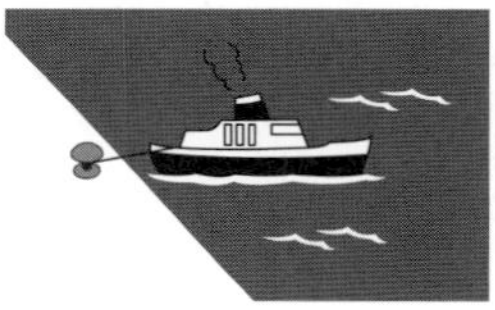

船が（ 波・港・駅 ）にとまっています。

この店は（ 実・客・字 ）が多いです。

■ □ の中から（　　）に合う言葉をえらんで書きましょう。

・船が出たり入ったりするところを（　　　　　）と言います。
・サーファーは（　　　　　）に乗ります。
・小鳥の家を（　　　　　）で作ります。

・電車のレールは（　　　　　）でできています。

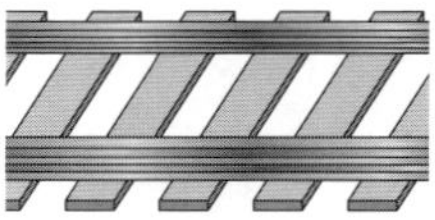

・友だちにクリスマスカードを（　　　　　）。
・レジに（　　　　　）がならんでいます。

板
客
港
鉄
波
送ります

かんじ　3・17・3

■なかまはずれはどれでしょうか。○をつけましょう。

顔の中にあります。（ 目・鼻・歯・皿 ）

客が集まるところです。（ レストラン・スーパー・パトカー・ホテル ）

鉄でできています。（ 汽船《せん》・鉄橋《てっきょう》・木箱《ばこ》・電車 ）

送るものです。（ Eメール・チャイム・クリスマスカード・ファックス ）

■下線のかん字に読みがなを書きましょう。

大きな船が、港に入って来ました。

あれはタンカーです。石油《せきゆ》を運んでいます。

船のまわりには、白い波が見えます。

いろいろな読み方・使い方

送	送《おく》る	送金《そうきん》　放送《ほうそう》
港	港《みなと》	出港《しゅっこう》　空港《くうこう》
波	波《なみ》	電波《でんぱ》　波長《はちょう》
板	板《いた》	黒板《こくばん》　鉄板《てっぱん》
鉄	鉄《てつ》	鉄棒《てつぼう》　砂鉄《さてつ》
客	客《きゃく》	乗客《じょうきゃく》　来客《らいきゃく》

岸・横・君・様・次

岸《きし》

川の岸に花がさく

横《よこ》

いすの横に立つ

君《くん》

ひろし君とみち子さん

様《さま》

王様

次《つぎ》

次はぼくの番だ

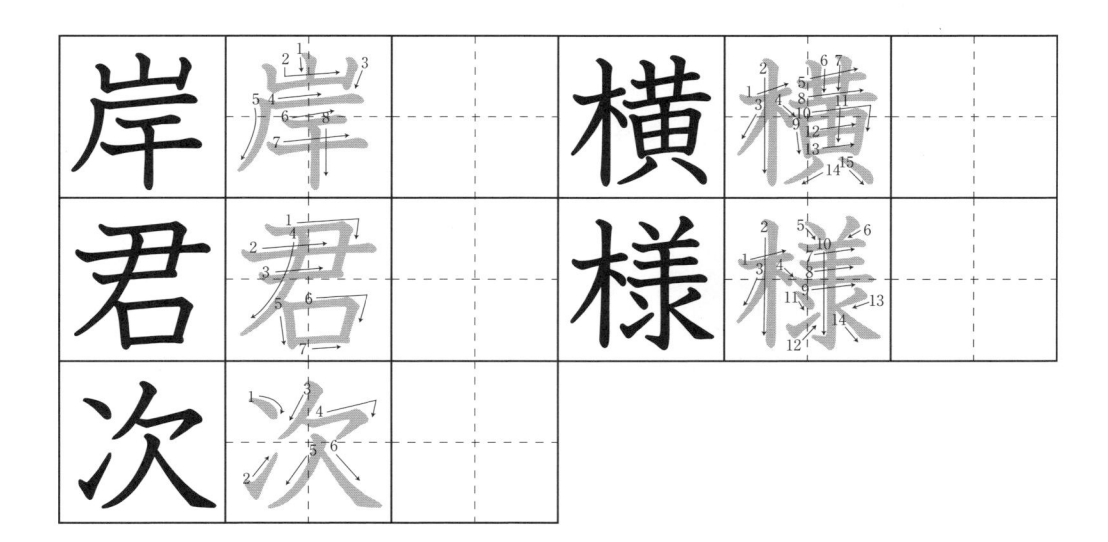

岸	岸		横	横	
君	君		様	様	
次	次				

かんじ　3・18・2

■絵を見て、（　　）の中から合う言葉をえらびましょう。

・金色のかんむりをかぶっているのは、（ お客様・王様 ）です。

・プリントを配っているのは、（ たけし君・先生 ）です。

・お父さんは（ 炭・岸 ）で、つりをしています。

・６月の（ 次・前 ）は７月です。

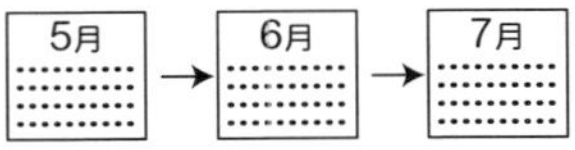

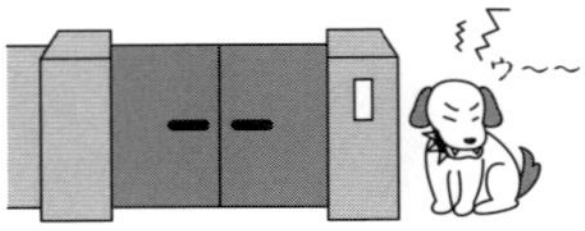

・門の（ 横・上 ）に、こわい犬がいます。

■（　　）の中から合う言葉をえらびましょう。また、（　　）に数字を書きましょう。

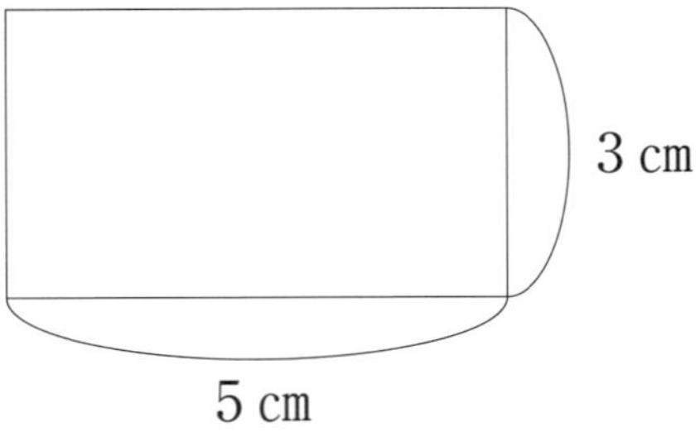

（ たて・横 ）は３cm
（ たて・横 ）は５cm

（ たて・横 ）のほうが（　　）cm 長い。

■絵を見て、（　　）の中から合う言葉をえらびましょう。

鳥は（ 橋・岸 ）にいます。
犬は（ 川・岸 ）にいます。
魚は（ 川・橋 ）にいます。

かんじ　3・18・3

■山田さんに出す手紙です。ふうとうのあて名とじゅうしょを読んで、□の中から（　　）に合う言葉をえらんで書きましょう。

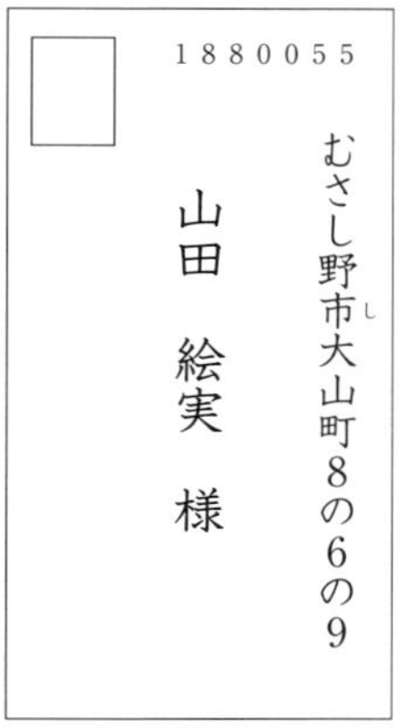

・名前はふうとうの（　　　　　）に書く。
・名前の下に（　　　　　）を書く。
・じゅうしょは名前の（　　　　　）、ふうとうの右がわに書く。

様　横　まん中

■次のかん字グループの■には同じものが入ります。□の中から合うものをえらんで（　　）に書きましょう。

① □　券　艮　（ 月 ）

② □　黄　羕　喬　（　　）

③ □　厈　石　灰　（　　）

④ □　冫　哥　（　　）

山　月　木　欠

いろいろな読み方・使い方

岸	岸《きし》	右岸《うがん》　左岸《さがん》
横	横《よこ》	横断《おうだん》　横転《おうてん》
君	君《くん》	君《きみ》
様	様《さま》	様式《ようしき》　様子《ようす》
次	次《つぎ》	次第《しだい》　一次《いちじ》

かんじ 3・19・1

階・倍・秒・級・丁

階《かい》

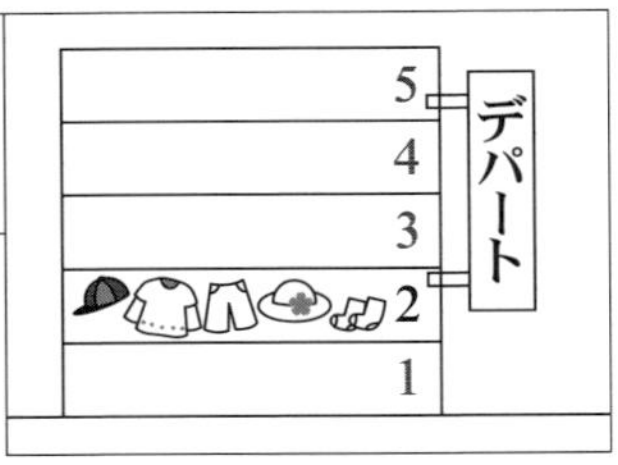

2階は子ども服売り場

倍《ばい》

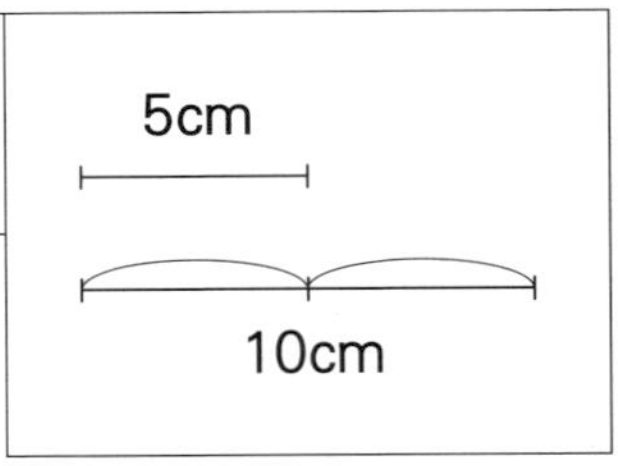

5cmの2倍は10cm

秒《びょう》

1分《ぷん》は60秒

級《きゅう》

水泳《えい》のテストで1級になる

丁《ちょう》

わたしの家は北町1丁目

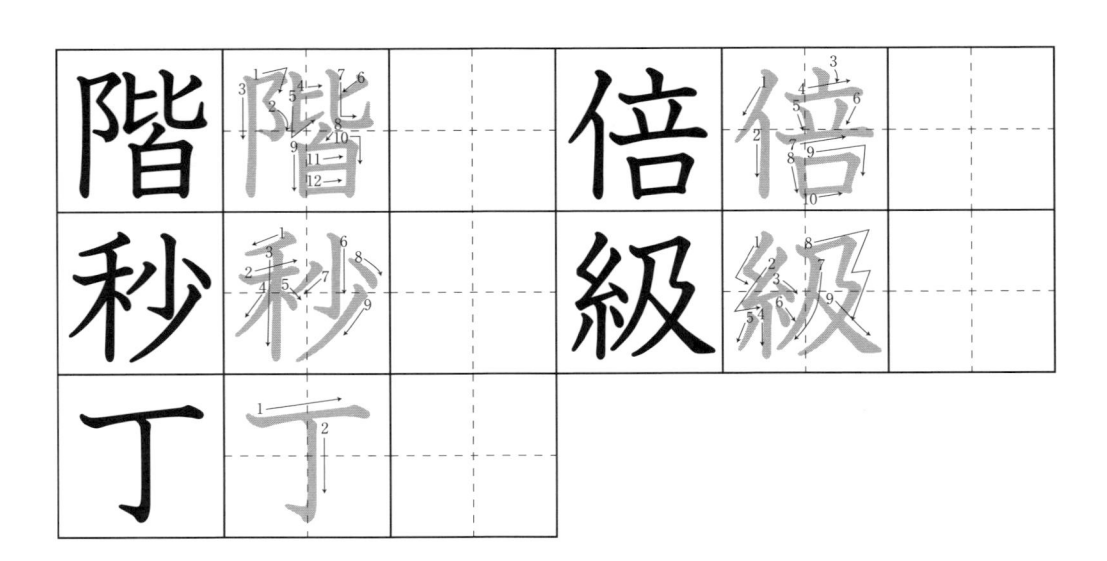

階	階		倍	倍	
秒	秒		級	級	
丁	丁				

かんじ 3・19・2

■絵を見て、（　　）の中から合う言葉をえらびましょう。

ひろし君の家は
南町（ 2階・2丁目 ）です。

お母さんは（ 2階・2秒 ）でテレビを
見ています。

ひろ子さんは、水泳のテストで
（ 20秒・20級 ）も、もぐることができました。
今年《ことし》、（ 2級・2丁 ）になりました。

みち子さんのおこづかいは、きょ年は
200円でした。今年は400円になりました。
きょ年の（ 2級・2倍 ）です。

かんじ 3・19・3

■線でむすびましょう。

1分・	・60分
1時間・	・7日
1日・	・60秒
1週間・	・365日
1年・	・24時間

わたしは3年生です。

5年生のゆかりさん・	・同《どう》級生
3年生のさとし君・	・下級生
1年生のさっちゃん・	・上級生

■文を読んで答えましょう。

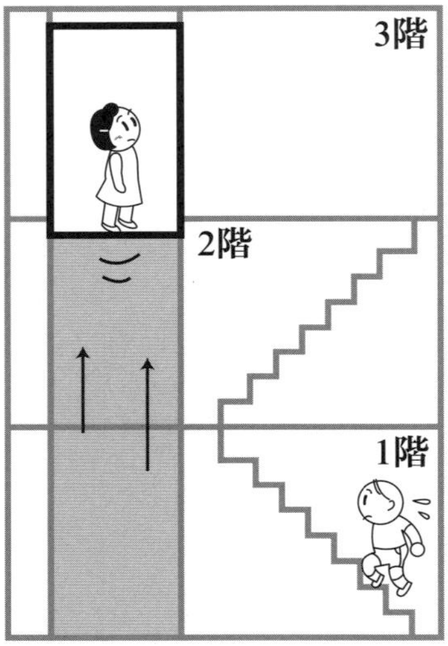

1階から3階《がい》まで階だんを使うと1分20秒かかります。エレベーターを使うと10秒かかります。階だんを使うと、エレベーターの何倍の時間が、かかりますか。

答え ＿＿＿＿＿＿＿＿

いろいろな読み方・使い方

階	階《かい》	階段《かいだん》　階級《かいきゅう》
倍	倍《ばい》	倍数《ばいすう》　倍率《ばいりつ》
秒	秒《びょう》	秒速《びょうそく》　秒針《びょうしん》
級	級《きゅう》	高級《こうきゅう》　進級《しんきゅう》
丁	丁《ちょう》	丁《てい》ねい

かんじ 3・20・1

礼・昔・列・祭・式・面

礼《れい》

礼をする

昔《むかし》

昔の人

列《れつ》

1列にならぶ

祭《まつ》り

日本の祭り

式《しき》

けっこん式

面《めん》

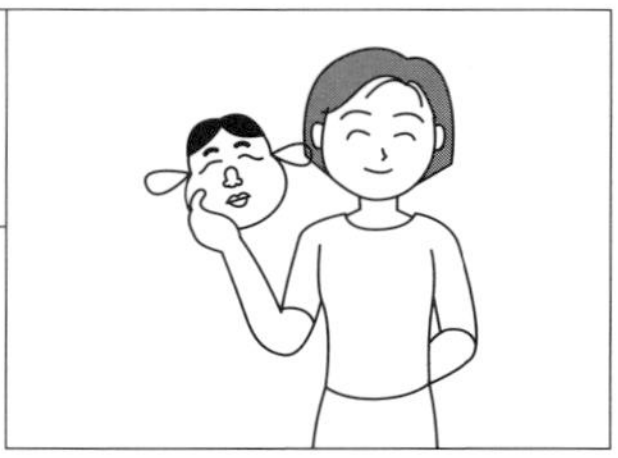

お面をつける

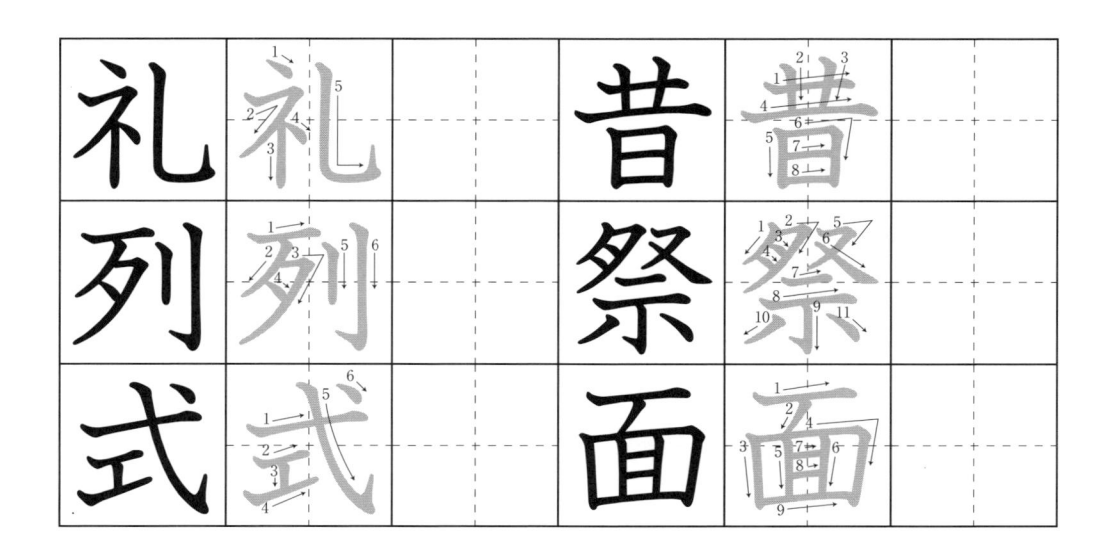

礼	礼		昔	昔	
列	列		祭	祭	
式	式		面	面	

かんじ 3・20・2

■絵を見て、（　　）の中から合う言葉をえらびましょう。

・きょうりゅうがたくさん生《い》きています。
（ 今・昔 ）

・ならんでタクシーを待ちます。
（ 列・礼 ）

・たくさんの人が集まって楽しみます。
（ 駅・祭り ）

・顔につけておどったりします。
（ 面・薬 ）

・４月に１年生が学校に入ります。
（ そつぎょう式・入学式 ）

■ ☐ の中から絵に合う言葉をえらんで書きましょう。

（　　　）

（　　　）

（　　　）

起立《きりつ》　礼　着《ちゃく》せき

■ しりとり

① 炭 → ［耳］ → 道 → ［　　］

② 雨 → ［　　］

③ 晴れ → ［　　］ → ［　　］

④ 進む → ［　　］ → 島 → ［　　］

⑤ ［　　］ → 石 → ［　　］

月	礼	祭り
	式	昔
列	面	血

いろいろな読み方・使い方

礼	礼《れい》	失礼《しつれい》　朝礼《ちょうれい》
昔	昔《むかし》	大昔《おおむかし》　昔話《むかしばなし》
列	列《れつ》	整列《せいれつ》　行列《ぎょうれつ》　列車《れっしゃ》
祭	祭《まつ》り	祭日《さいじつ》　文化祭《ぶんかさい》
式	式《しき》	形式《けいしき》　公式《こうしき》
面	面《めん》	面積《めんせき》　表面《ひょうめん》　平面《へいめん》

ふくしゅう4（16～20）

入学式・	・にちょうめ
山下君・	・おうさま
2丁目・	・にゅうがくしき
王様・	・やましたくん

急ぐ・	・おくる
死ぬ・	・ながれる
送る・	・いそぐ
流れる・	・しぬ

2階・	・にきゅう
2列・	・にびょう
2倍・	・にかい
2秒・	・にれつ
2級・	・にばい

面・	・なみ
緑・	・みなと
祭り・	・めん
波・	・まつり
港・	・みどり

横・	・きし
鉄・	・ひつじ
岸・	・てつ
次・	・よこ
羊・	・つぎ

板・	・むかし
血・	・きゃく
礼・	・いた
客・	・ち
昔・	・れい

県・州・都・住・所・区

県《けん》

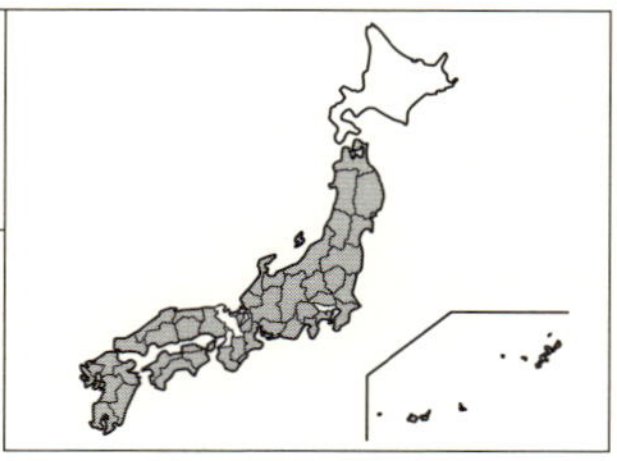

日本には43の県がある

州《しゅう》

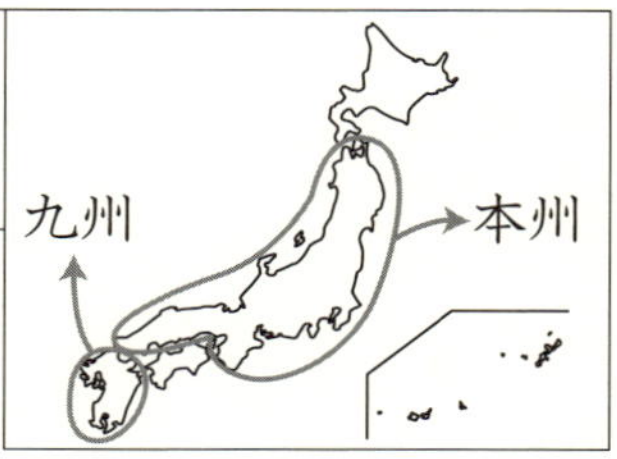

九州と本州

都《と》

東京都

住所《じゅうしょ》

住所	〒106-0032 東京都港区 大川８丁目
名前	田中道子

住所と名前

区《く》

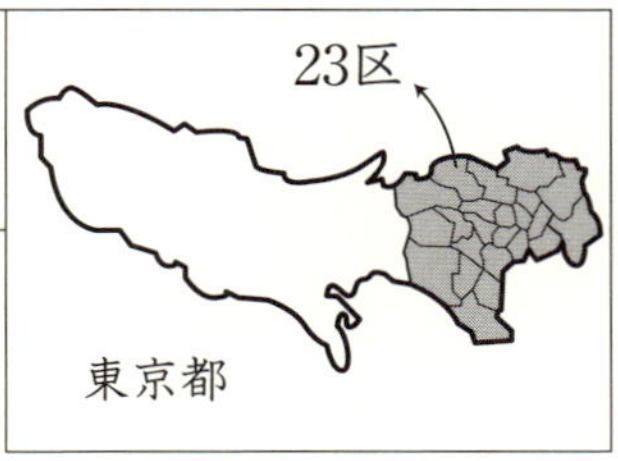

東京都には23の区がある

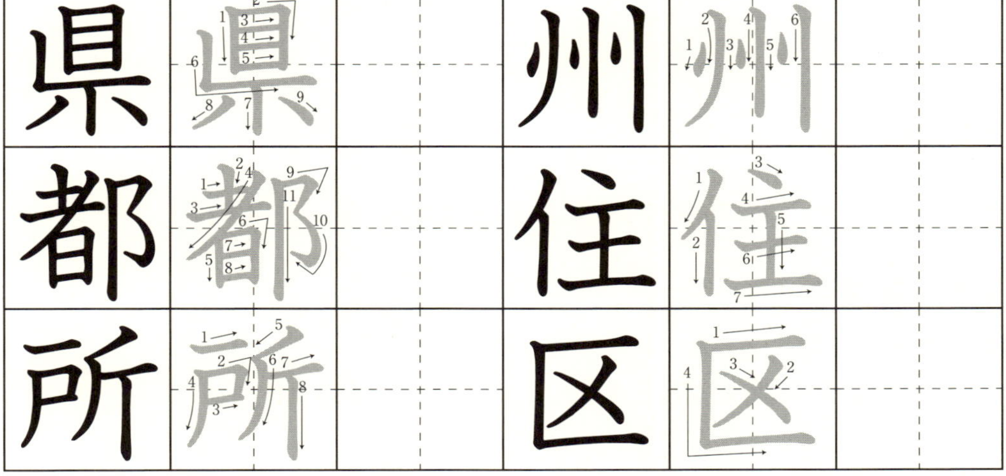

かんじ 3・21・2

日本は、４つの大きい島と、やく3700の小さい島からできています。
大きい島の名前は、北海道《ほっかいどう》、本州、四国《しこく》、九州です。

■地図を見て、４つの島の名前を面せきの大きいじゅんに書きましょう。

1. ＿＿＿＿＿＿＿＿
2. ＿＿＿＿＿＿＿＿
3. ＿＿＿＿＿＿＿＿
4. ＿＿＿＿＿＿＿＿

日本は、せいじを行《おこな》うために１《ひと》つの都・１つの道《どう》・２つの府《ふ》※・43の県に分けられています。そして、それぞれが、市、区、町、村などに分けられています。

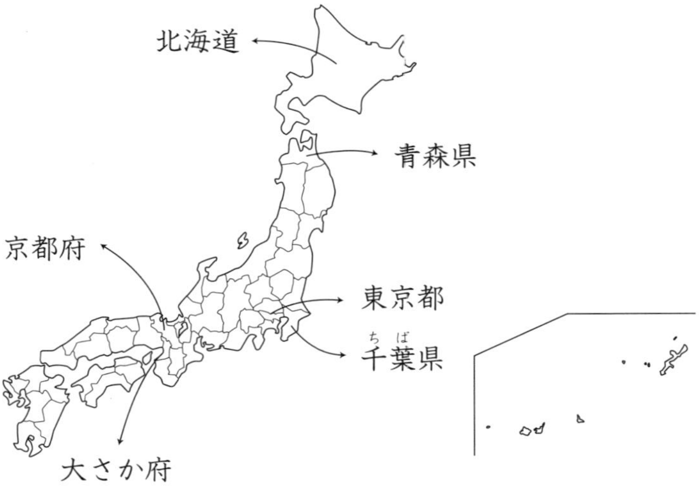

※府は４年の漢字です。

■地図を見て（　　）の中にあてはまる地名を書きましょう。

・日本の首《しゅ》都は（　　　　　　　）です。
・なり田空港《くうこう》は（　　　　　　　）県にあります。
・本州の一番北にあるのは（　　　　　　　）県です。

かんじ 3・21・3

■はがきを読んでしつもんに答えましょう。

（はがきのおもて）

1070062

東京都港区東青山7丁目9番

川田　礼子　様

福おか県北山田市中町3丁目4番

大島　道子

8210000

（はがきのうら）

礼子さん

お元気ですか。

少しずつあたたかくなって来ました。

九州では、もう、さくらの花がさいて

います。春休みになったら家ぞく

みんなで遊びに来てください。

会えるのを楽しみに待っています。

さようなら

道子より

しつもん①　このはがきを書いた人はだれですか。（　　　　　）

しつもん②　このはがきを受け取る人はだれですか。（　　　　　）

しつもん③　礼子さんの住所を読みましょう。

（　　　　　）（　　　　　）（　　　　　）（　　　　　）

東京都　　港区　　東青山　　7丁目9番

いろいろな読み方・使い方

県	県《けん》	都道府県《とどうふけん》
州	州《しゅう》	中州《なかす》
都	都《と》	都会《とかい》　都市《とし》　都合《つごう》　都《みやこ》
住	住所《じゅうしょ》	住宅《じゅうたく》　住《す》む
所	住所《じゅうしょ》	長所《ちょうしょ》　短所《たんしょ》　台所《だいどころ》　所《ところ》
区	区《く》	区間《くかん》　区分《くぶん》　区別《くべつ》

かんじ 3・22・1

命・病・院・医・者・他

命《いのち》

大切《たいせつ》な命

病院《びょういん》

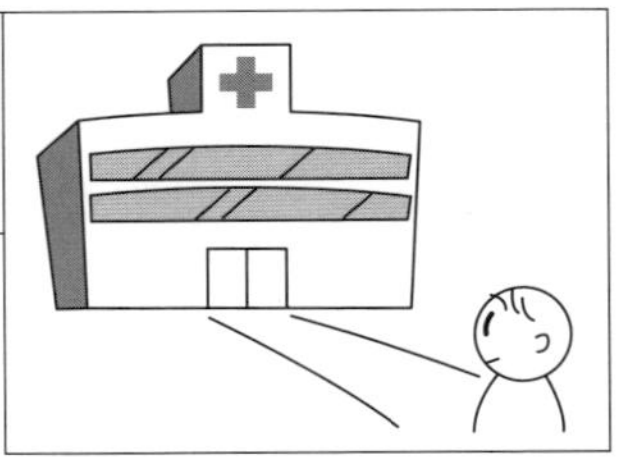

病院へ行く

医者《いしゃ》

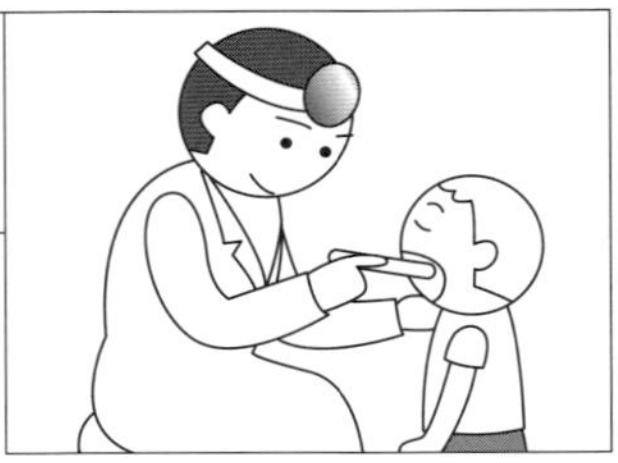

医者

他《た》

りんごとその他のくだもの

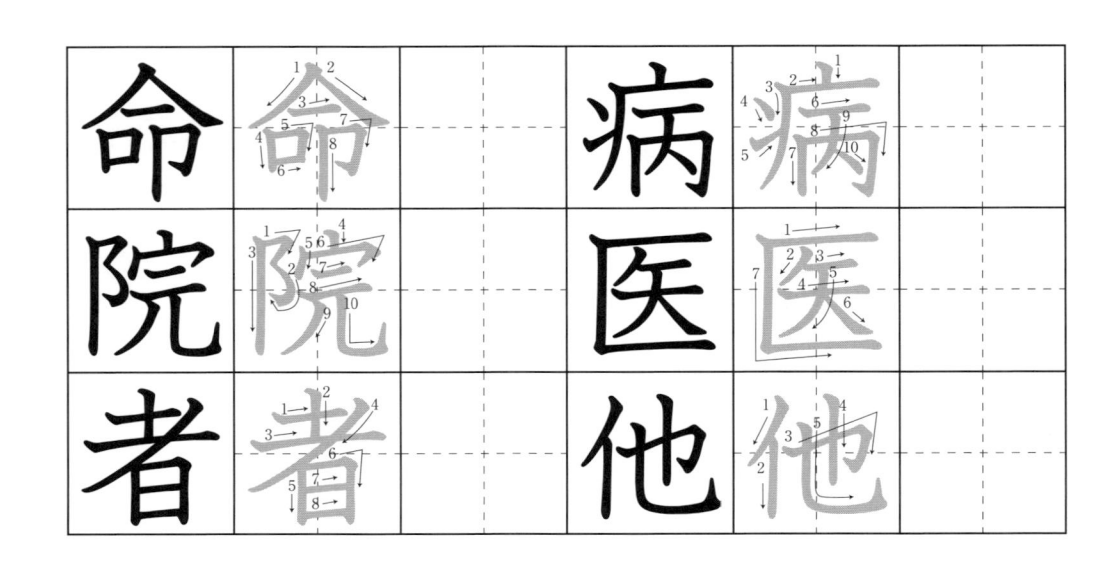

命	命		病	病	
院	院		医	医	
者	者		他	他	

かんじ 3・22・2

■（　　）の中から合う言葉をえらびましょう。

きのうの夜、家の近くで、火じがありました。消《しょう》ぼう車が来て、すぐに（ 日・水・火 ）を消しましたが、けが人《にん》がいました。きゅう急《きゅう》車が、けがをした人を（ 病院・病人 ）に運びました。すぐに（ 作《さく》者・医者 ）が手あてをしたので、けが人の（ 合・命・会 ）が助かりました。

■ □ の中から（　　）に合うかん字をえらんで、書きましょう。

・ひろし君は、大きくなったら電車の運《うん》転手になりたいと思っています。
わたしは、大きくなったら（　　　　）になりたいです。

・親鳥があたためていたたまごから、ひなが生まれました。
新しい（　　　　）のたん生です。

・わたしは、お母さんといっしょに（　　　　）へおばあさんのお見まいに行きました。

・これからテストを始めます。えん筆、消しゴムをつくえの上においてください。その（　　　　）のものは、ぜんぶしまってください。

他　命　医者　病院

かんじ 3・22・3

■次の言葉を３つのグループに分けましょう。

＜たてもの＞

学校

＜人＞

先生

＜その他＞

酒

羊

病院　~~先生~~

~~学校~~　図《と》書かん

運転手　筆

医者　歌手　湖

~~酒~~　まんが家

駅　豆

寺

いろいろな読み方・使い方

命	命《いのち》	命令《めいれい》　生命《せいめい》　一生《いっしょう》けん命《めい》
病	病院《びょういん》	病気《びょうき》　急病《きゅうびょう》　病《やまい》
院	病院《びょういん》	寺院《じいん》　入院《にゅういん》　退院《たいいん》
医	医者《いしゃ》	医学《いがく》
者	医者《いしゃ》	役者《やくしゃ》　若者《わかもの》
他	他《た》	他人《たにん》　他国《たこく》

かんじ 3・23・1

反・対・勉・館・漢・庫

反対《はんたい》

反対を向く

勉強《べんきょう》

毎日勉強する

体育館《たいいくかん》

体育館で遊ぶ

漢字《かんじ》

勉　対　漢
湖　館　服
庫
息　駅

3年の漢字

車庫《しゃこ》

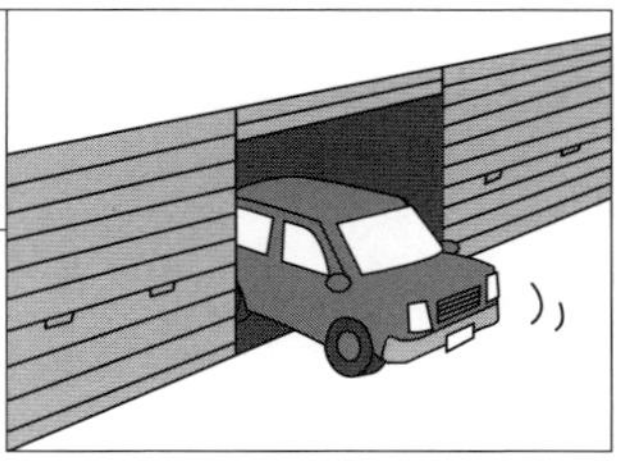

車庫に車を入れる

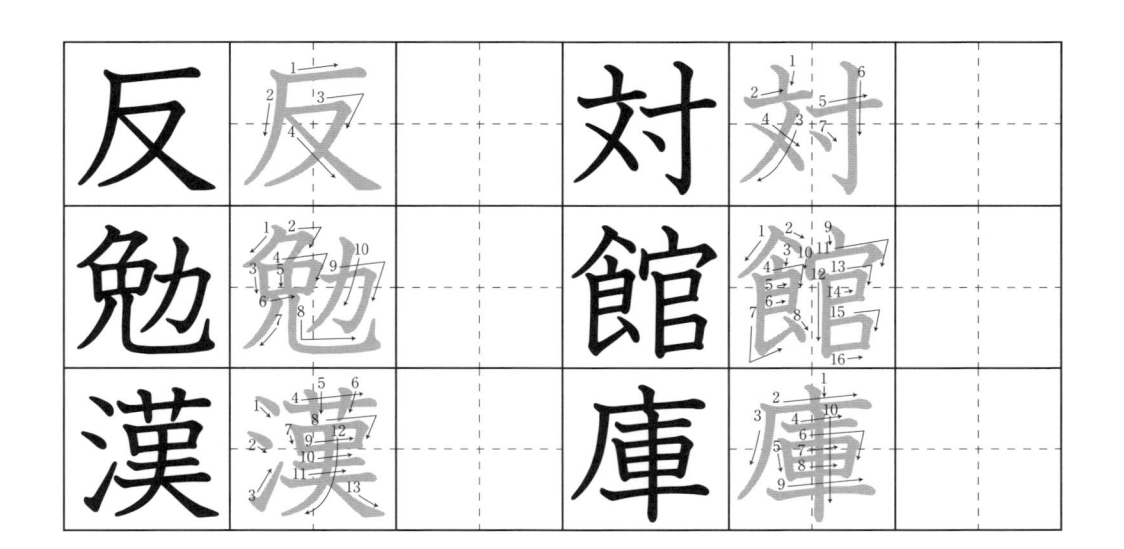

反	反		対	対	
勉	勉		館	館	
漢	漢		庫	庫	

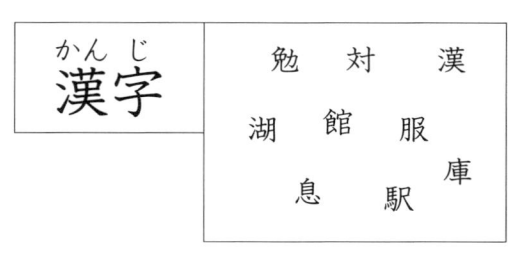

かんじ 3・23・2

■ □ の中から（　　）に合う言葉をえらんで書きましょう。

・雨がふったので（　　　　　　　　）でドッジボールをしました。

・食べものを（　　　　　　　　）に入れます。

・『暑い』の（　　　　　　　　）は『寒い』です。

・日本語の文《も》字には、ひらがな・カタカナ・（　　　　　　　　）があります。

・わたしは、毎日ばんごはんを食べた後、２時間（　　　　　　）します。

漢字　体育館　反対　れいぞう庫　勉強

■（　　　）の中から合う言葉をえらびましょう。

・『勝つ』の反対は（ 受ける・負ける・助ける ）です。

・車を入れておくところは、（ 金庫・車庫・書庫 ）です。

・本をかりる場所は（ 体育館・図書館・美《び》じゅつ館 ）です。

・読み方がいくつもある字は、（ カタカナ・ひらがな・漢字 ）です。

かんじ 3・23・3

■文を読んで、下線の漢字に読みがなを書きましょう。それからしつもんに答えましょう。

体育館でフットサルをしました。フットサルはヨーロッパで始まったスポーツです。サッカーと同じで、ボールを手でさわると反そくです。5人ずつのチームに分かれてし合《あい》をします。

先生の笛の合図でし合が始まりました。みんな一生《いっしょう》けん命《めい》にボールをけりました。前半は1対1でしたが、後《こう》半、田中君にゴールを決められ、ぼくたちのチームは1対2で負けてしまいました。

しつもん① フットサルはどこで始まったスポーツですか。（　　　　）
しつもん② 1チーム何人ですか。（　　　　）
しつもん③ だれのチームが勝ちましたか。（　　　　）

いろいろな読み方・使い方

反	反対《はんたい》	反省《はんせい》　反復《はんぷく》
対	反対《はんたい》	対決《たいけつ》　対《たい》しょう　対角線《たいかくせん》
勉	勉強《べんきょう》	勤勉《きんべん》　勉学《べんがく》
館	体育館《たいいくかん》	図書館《としょかん》　大使館《たいしかん》
漢	漢字《かんじ》	漢和辞典《かんわじてん》　漢数字《かんすうじ》
庫	車庫《しゃこ》	倉庫《そうこ》　冷蔵庫《れいぞうこ》

両・族・旅・予・定・味

両親《りょうしん》

両親とわたし

家族《かぞく》

4人家族

旅行《りょこう》

旅行に行く

予定《よてい》

予定を書く

味《あじ》

「どんな味？」

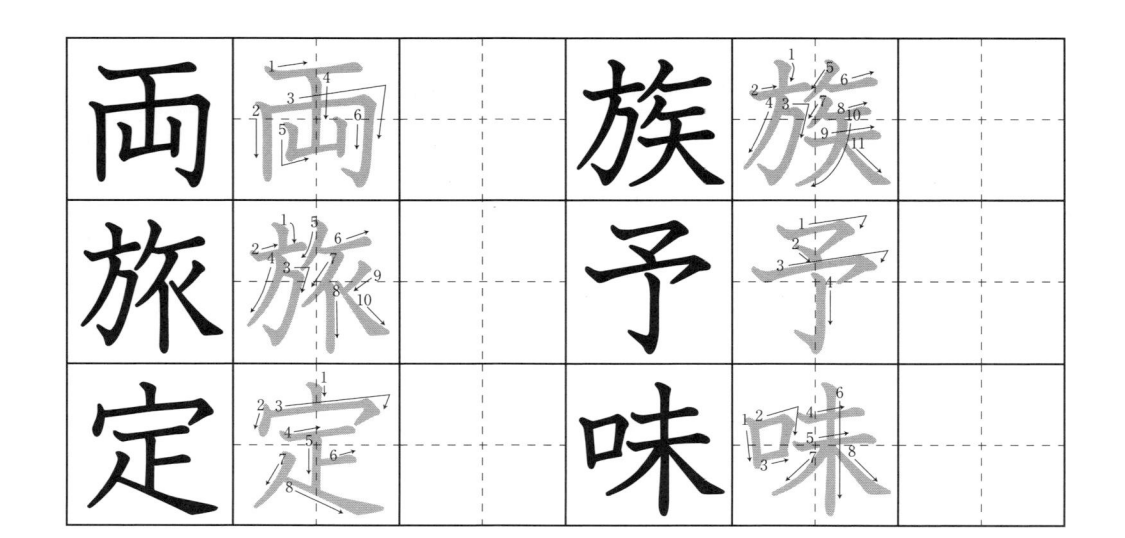

両	両		族	族	
旅	旅		予	予	
定	定		味	味	

かんじ　3・24・2

■（　　）の中から合う言葉をえらびましょう。

これは（ 予定・旅行 ）に行ったときの写《しゃ》しんです。

ひろ子さんの（ 両親・家族 ）は５人です。

ひろ子さんの（ 親子・両親 ）はめがねをかけています。

空港に（ 天気・予定 ）の時間に着きました。

■左の言葉に合う漢字を（　　）の中から２つえらんで○をつけましょう。

空　　（ 実 ・ 星 ・ 家 ・ 雲 ）

両親（ 弟 ・ 父 ・ 妹 ・ 母 ）

家族（ 子 ・ 庭 ・ 空 ・ 親 ）

味　　（ 苦《にが》い ・ 暗い ・ あまい ・ 寒い ）

庭　　（ 花 ・ 湖 ・ 草 ・ 海 ）

色　　（ 緑 ・ 親 ・ 係 ・ 金 ）

日	月	火	水	木	金	土
		1	2	3	4	⑤ 父・母けっこん式に出る
6	7	8	9	10	11	12
⑬ 父・母・兄・わたしでおばあさんの家へ	14	15 ← 兄アメリカへ	16	17	18	19
20 →	21	22	23	24	25	㉖ ぶどうがり
27	28	29	30	31		

■カレンダーを見て、［　　］の中から（　）に合う漢字をえらんで書きましょう。

カレンダーに今月《こんげつ》の（　　　　）を書きます。
5日に（　　　　）はけっこん式に行きます。
13日に（　　　　）でおばあさんの家に行きます。
15日からお兄さんは（　　　　）に行きます。
26日はぶどうがりに行きます。今年はぶどうの（　　　　）がいいそうです。

予定　家族　味　両親　旅行

いろいろな読み方・使い方

両	両親《りょうしん》	両方《りょうほう》　両側《りょうがわ》
族	家族《かぞく》	水族館《すいぞくかん》
旅	旅行《りょこう》	旅人《たびびと》　旅先《たびさき》
予	予定《よてい》	予習《よしゅう》　予防《よぼう》
定	予定《よてい》	三角定規《さんかくじょうぎ》　定《さだ》める
味	味《あじ》	味方《みかた》　意味《いみ》　興味《きょうみ》

かんじ 3・25・1

童・主・物・商・宮・申

童話《どうわ》

日本の童話、せかいの童話

主人公《しゅじんこう》

物語《がたり》の主人公

着物《きもの》

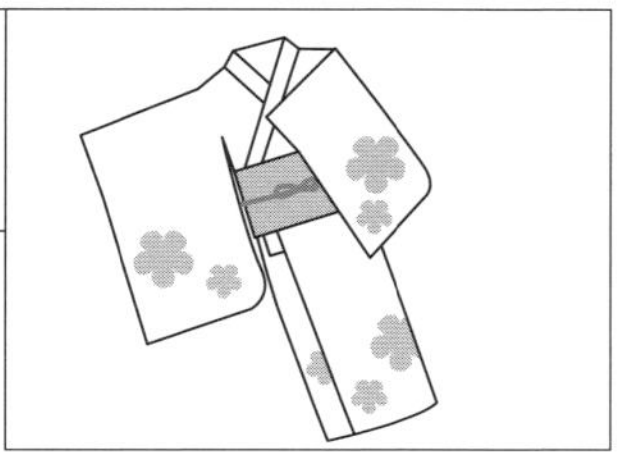

美しい着物

商店《しょうてん》

いろいろな商店

王宮《おうきゅう》

王様は王宮に住《す》んでいる

申《もう》す

「わたしはスミスと申します。」

童	童		主	主	
物	物		商	商	
宮	宮		申	申	

かんじ　3・25・2

■次の言葉を４つのグループに分けましょう。

肉　　米

電車　　牛にゅう　　船

豆　　スリッパ　　自転車　　酒

上《うわ》ばき　　長ぐつ　　茶

食べ物	飲み物
乗り物	はき物

■読みましょう。

『はだかの王様』は、アンデルセンの童話です。主人公は王様です。

王様は、りっぱな王宮に住んでいました。そして、新しい服や美しい服を着るのが大すきでした。ある日、家来《けらい》が王様に「申し上げます。ふしぎな服を作る男がいます。頭がいい人にだけ見える服だそうです。」と言いました。王様は男に自分の服を作るように命れいしました。

できあがった服は、王様にも、ほかの人にも見えませんでした。しかし、人びとは、頭の悪い人だと思われたくないので、ほんとうは王様は何も着ていないのに「すばらしい服ですね。」と言いました。そして、王様はむねをはってはだかのまま、町の中を行進《こうしん》しました。

かんじ 3・25・3

■ （　） の中から正しい漢字をえらんで、じゅく語を作りましょう。

休《きゅう》日《じつ》　　王□《きゅう》　　学□《きゅう》　　□《きゅう》州

（ 級　宮　~~休~~　九 ）

旅□《こう》　　主人□《こう》　　□《こう》作　　学□《こう》

（ 校　行　公　工 ）

■ 下線の漢字に読みがなを書きましょう。

・夏休みの水泳教室を申しこんだ。

・わすれ物をしたので、急いで取りに帰った。

・山田商店の主人は親切だ。

いろいろな読み方・使い方

童	童話《どうわ》	学童《がくどう》　童歌《わらべうた》
主	主人公《しゅじんこう》	主《おも》な　送《おく》り主《ぬし》
物	着物《きもの》	動物《どうぶつ》　食物《しょくもつ》
商	商店《しょうてん》	商品《しょうひん》　商《あきな》う
宮	王宮《おうきゅう》	お宮《みや》
申	申《もう》す	申《もう》しこむ　申告《しんこく》

ふくしゅう5（21～25）

予定・	・いしゃ
住所・	・よてい
病院・	・しゃこ
医者・	・じゅうしょ
車庫・	・びょういん

味・	・りょうしん
命・	・かぞく
他・	・いのち
家族・	・あじ
両親・	・た

童話	着物	申す	王宮	商店
・	・	・	・	・
・	・	・	・	・
おうきゅう	どうわ	しょうてん	きもの	もうす

反対・	・きゅうしゅう
勉強・	・かんじ
漢字・	・はんたい
九州・	・りょこう
旅行・	・べんきょう

青森県・	・みなとく
主人公・	・とうきょうと
東京都・	・しゅじんこう
体育館・	・あおもりけん
港区・	・たいいくかん

かんじ　3・26・1

委・員・期・業・央・第

委員《いいん》

わたしは図書委員だ

学期《がっき》

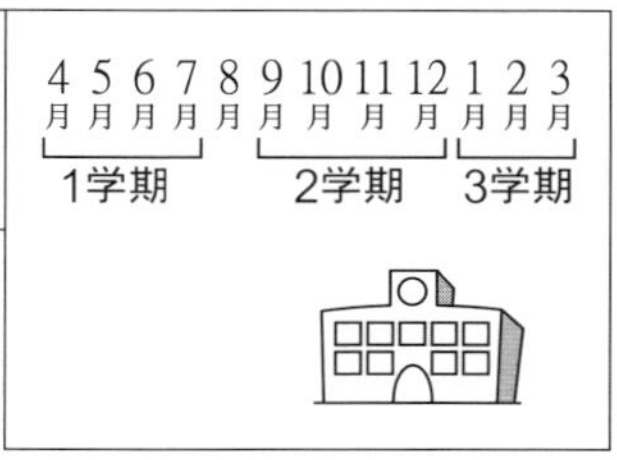

1学期は4月に始まる

そつ業《ぎょう》

6年生は3月にそつ業する

中央《ちゅうおう》

リンクの中央に立つ

第《だい》

第1回オリンピック

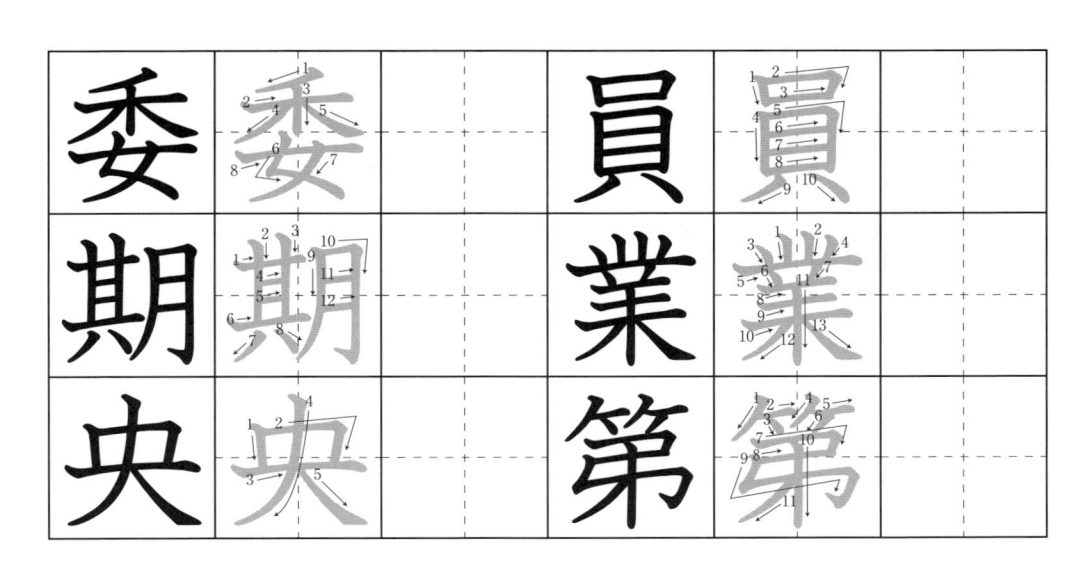

委	委		員	員	
期	期		業	業	
央	央		第	第	

かんじ　3・26・2

•――わたしの学校の１年――•

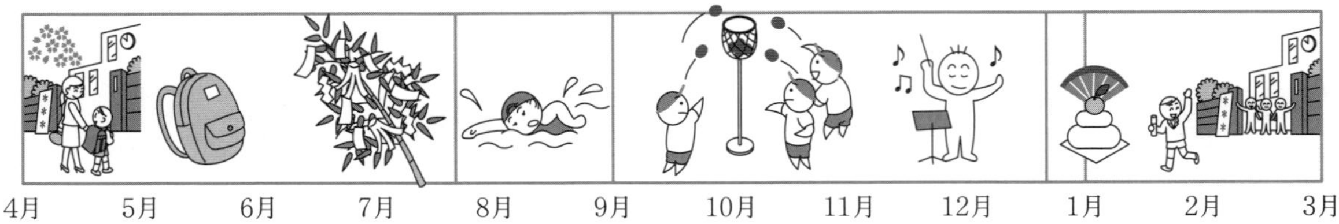

■（　　　）の中から正しい言葉をえらびましょう。

わたしの学校では、４月から学校が始まります。
４月に（ 入学式・そつ業式 ）があります。
３月に（ 入学式・そつ業式 ）があります。
９月から12月までが（ ３学期・２学期 ）です。
学級会で（ 委員・会員 ）を決めます。

水泳大会です。川田君は
（ 第３コース・第４コース ）です。

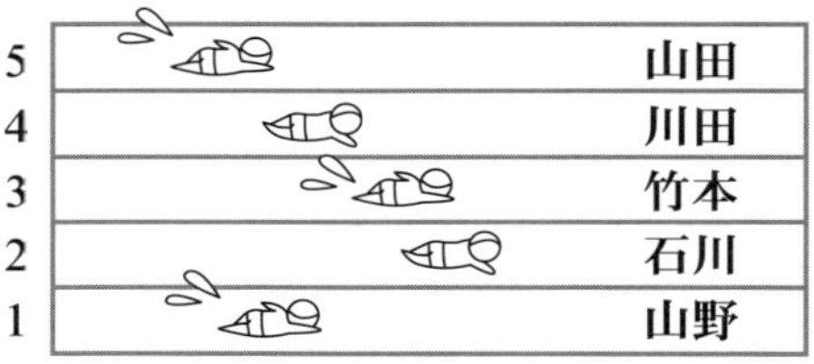

■町の地図を見て、□の中から（　　）に合う言葉をえらんで書きましょう。

（　　　　）に工場《じょう》。
（　　　　）に小学校。
（　　　　）にわたしの家。
（　　　　）に公園。
（　　　　）に病院。

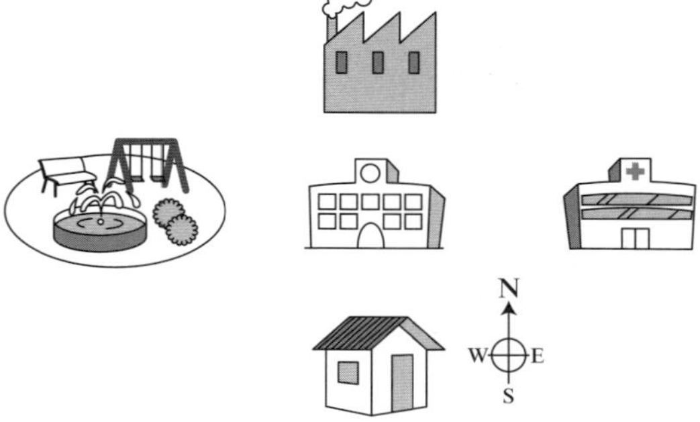

中央　東　西　南　北

かんじ　3・26・3

■文を読んで絵をかきましょう。

・入《い》り口《ぐち》の両がわに花だん。
・中央に大きな木。
・その木の下に黒い犬。
・売《ばい》店の横にベンチ。

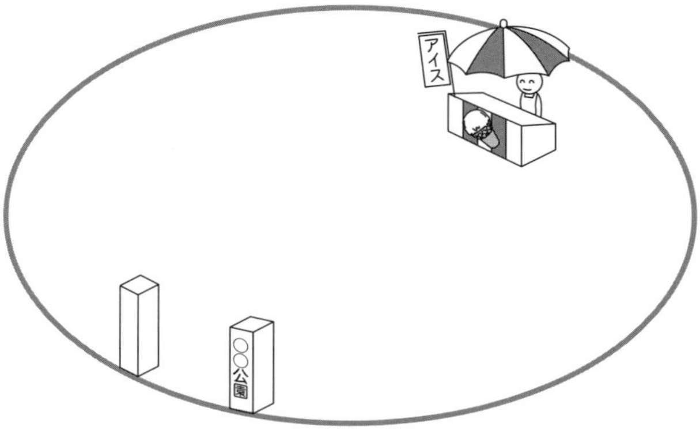

■下線の漢字に読みがなを書きましょう。

・わたしの学校は第一小学校です。市の中央にあります。

・学期のはじめに、委員や係を決めます。

・図書委員は本の数を調べたり、返ってきた本を本だなに運んだりします。
新しい本が入ったら、カードを作ります。

いろいろな読み方・使い方

委	委員《いいん》	委任《いにん》
員	委員《いいん》	店員《てんいん》　全員《ぜんいん》　役員《やくいん》
期	学期《がっき》	期間《きかん》　期日《きじつ》
業	そつ業《ぎょう》	農業《のうぎょう》　工業《こうぎょう》　早業《はやわざ》　軽業《かるわざ》
央	中央《ちゅうおう》	—
第	第《だい》	次第《しだい》　落第《らくだい》

かんじ 3・27・1

球・陽・世・界・洋・発

地球《ちきゅう》

地球は丸い

太陽《たいよう》

太陽は東から出る

世界《せかい》

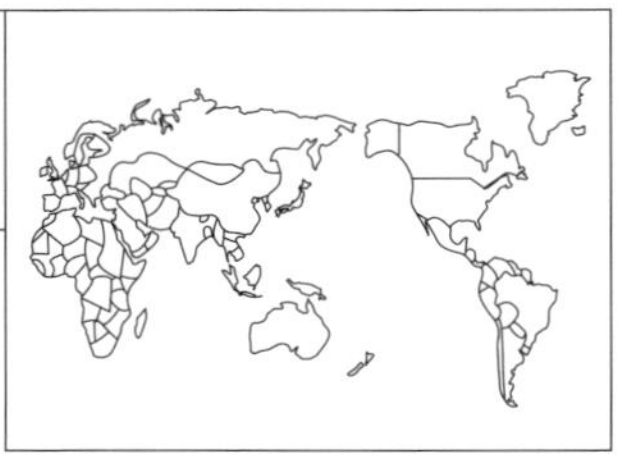

世界にはたくさんの国がある

太平洋《たいへいよう》

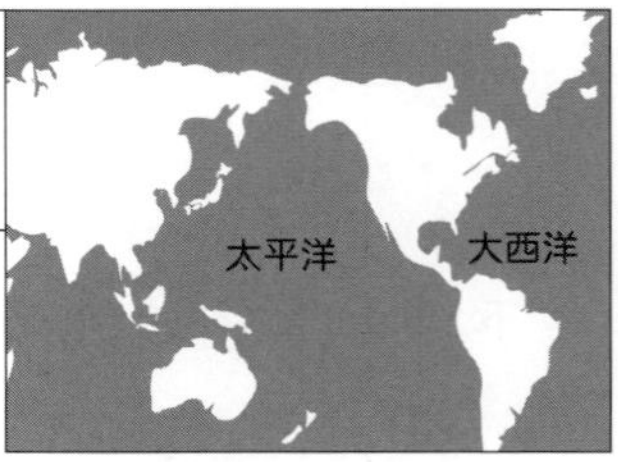

太平洋と大西《たいせい》洋

発見《はっけん》

新しい星の発見

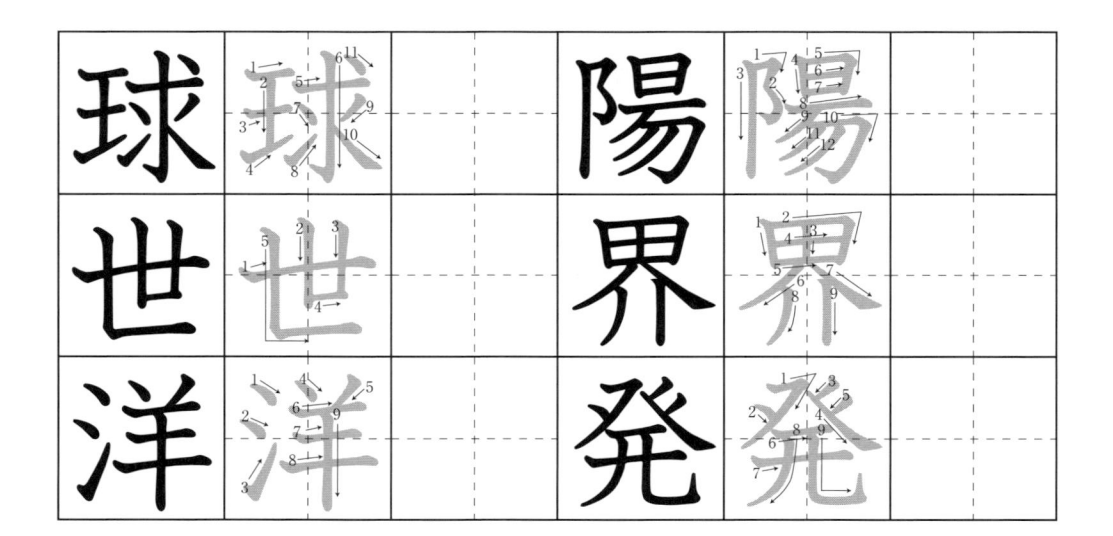

球	球		陽	陽	
世	世		界	界	
洋	洋		発	発	

かんじ 3・27・2

■（　　）の中から合う言葉をえらびましょう。

わたしたちが住んでいる（ 地球・太陽・月 ）は（ 地球・太陽・月 ）のまわりを回っています。

ヒマラヤのエベレストは（ 日本・世界・太陽 ）で一番高い山です。

1492年にアメリカを（ 発見・見学・学習 ）したのはクリストファ・コロンブスです。

日本とアメリカの間には（ 太陽・太平洋・地球 ）があります。

かんじ 3・27・3

■ [　　] の中から（　　）に合う言葉をえらんで書きましょう。

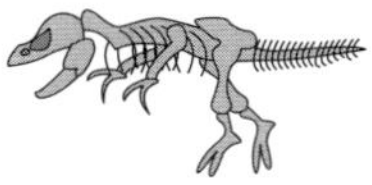

・スペースシャトルは（　　　　　）のまわりを１時間に ３万キロメートルの速さで回ります。

・きょうりゅうの化《か》石が（　　　　　）されました。

・ハワイは（　　　　　）にある島です。

・わたしは、いろいろな国を旅行して （　　　　　）の人と、友だちになりたいです。

・もし（　　　　　）の光がなかったら、わたしたちは、生きることができません。

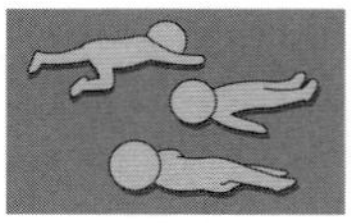

世界　太平洋　太陽　発見　地球

■絵と合う言葉を線でむすびましょう。

電球・　　地球・　　球根《こん》・　　気球・

いろいろな読み方・使い方

球	地球《ちきゅう》	野球《やきゅう》　球《たま》
陽	太陽《たいよう》	陽気《ようき》　陽性《ようせい》
世	世界《せかい》	世《よ》の中《なか》　二十一世紀《にじゅういっせいき》
界	世界《せかい》	限界《げんかい》　境界《きょうかい》
洋	太平洋《たいへいよう》	洋服《ようふく》　東洋《とうよう》　西洋《せいよう》
発	発見《はっけん》	発明《はつめい》　出発《しゅっぱつ》

研・究・具・昭・和・真

研究《けんきゅう》

新しい薬の研究

道具《どうぐ》

道具箱

昭和《しょうわ》

	大正	
1926		
1964	昭和	昭和39年 東京オリンピック
1989		
	平成	
2019		
	令和	

昭和39年に日本ではじめて
オリンピックが開《ひら》かれた

写真《しゃしん》

家族の写真

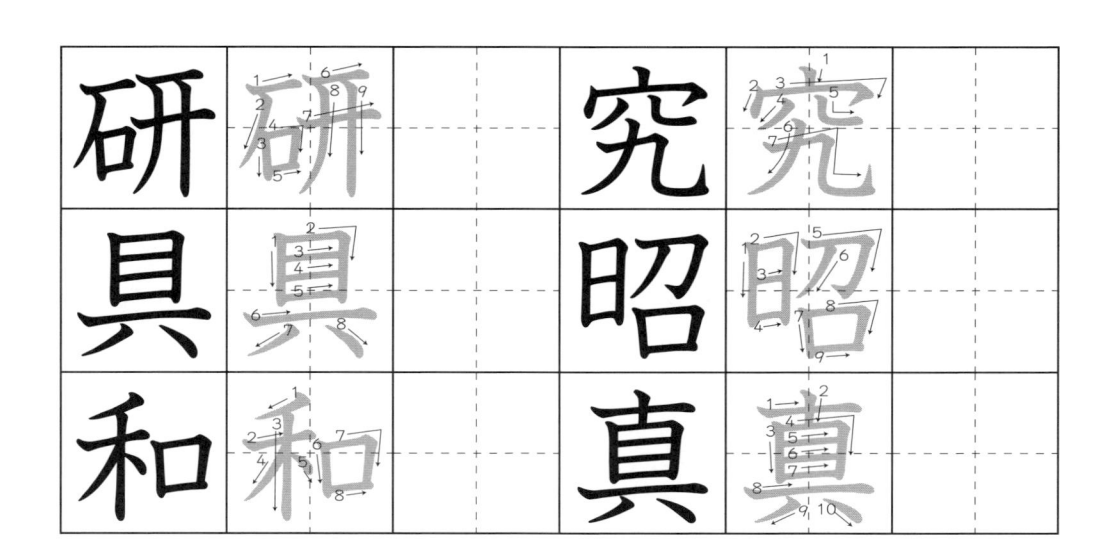

研	研		究	究	
具	具		昭	昭	
和	和		真	真	

かんじ　3・28・2

■ □の中から（　　）に合う言葉をえらんで書きましょう。2回使う言葉もあります。

教室の後ろに、そうじの（　　　　）があります。

お父さんは大学で、地しんの（　　　　）をしています。

入学式のとき、クラス全員で（　　　　）をとりました。

マリー・キュリーはラジウムの（　　　　）で
ノーベルしょうをもらいました。

これは、大昔の人が使った（　　　　）です。

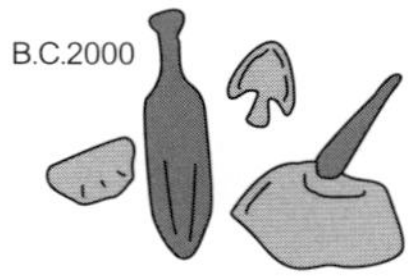

研究　道具　写真

■合う言葉を線でむすびましょう。

長ぐつ、かさ、レインコート・	・文ぼう具
のり、えん筆、消しゴム・	・工具
つくえ、ベッド、たんす・	・雨《あま》具
のこぎり、かなづち、くぎ・	・家具

かんじ　3・28・3

大正《たいしょう》	昭和	平成《へいせい》※	令和《れいわ》※

1912　1926　　　　　　　1989　　　　2019

あなたは何年に生まれましたか。
東京ディズニーランドは1983年にできました。日本では1983年を昭和58年ともいいます。大正・昭和・平成・令和などを年ごうといいます。

■次の生年月日《がっぴ》の人が生まれたときの年ごうをえらびましょう。

2020年５月20日・	・大正
1930年１月25日・	・昭和
1998年12月３日・	・平成
1920年８月６日・	・令和

※成、令は４年の漢字です。

■ ⌒ の中から正しい漢字をえらんで、じゅく語を作りましょう。

写□《しん》　　両□《しん》　　□《しん》聞　　前□《しん》

親　新　進　真

いろいろな読み方・使い方

研	研究《けんきゅう》	研修《けんしゅう》　研《と》ぐ
究	研究《けんきゅう》	究明《きゅうめい》　究《きわ》める
具	道具《どうぐ》	具合《ぐあい》　具体的《ぐたいてき》
昭	昭和《しょうわ》	―
和	昭和《しょうわ》	和音《わおん》　和式《わしき》　平和《へいわ》　和《なご》やか
真	写真《しゃしん》	真実《しんじつ》　真空《しんくう》　真心《まごころ》

かんじ 3・29・1

感・想・章・詩・由・帳

感想文《かんそうぶん》

感想文を書く

校章《こうしょう》

小

ぼくの学校の校章

詩《し》

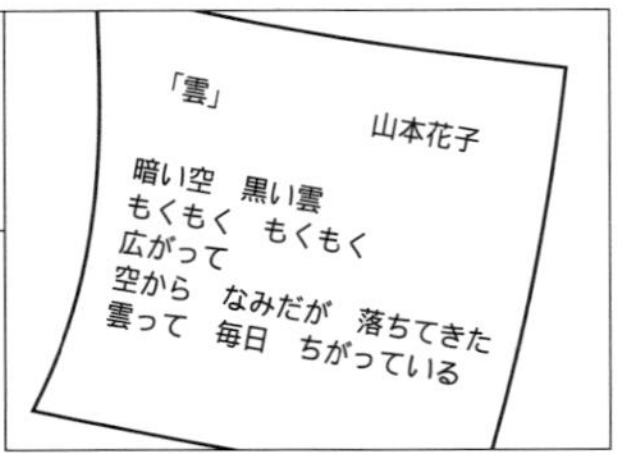
「雲」
山本花子
暗い空　黒い雲
もくもく　もくもく
広がって
空から　なみだが　落ちてきた
雲って　毎日　ちがっている

子どもの詩

自由帳《じゆうちょう》

じゆうちょう

自由帳に絵をかく

感	感		想	想	
章	章		詩	詩	
由	由		帳	帳	

かんじ 3・29・2

■（　　）の中から合う言葉をえらびましょう。

国語の教科書の（ 詩・絵 ）を暗《あん》記しました。
大きな声を出して、おぼえるまで何回も読みました。

わたしの学校では、水曜日の午後はパソコンが
（ 有名・自由 ）に使えます。

夏休みに本を５さつ読みました。一番おもしろかった
本の（ 日記帳・感想文 ）を書きました。

ひろ子さんは、その日にあったことを
（ 日記帳・教科書 ）に書きます。

（ 校歌・校章 ）は学校のマークです。

■ ◯ の中のへんを組み合わせて、□ の漢字をかんせいさせましょう。

３じ —— ３ 時

もつ —— 寺 つ

まつ —— 寺 つ

し —— 寺

彳（ぎょうにんべん）　日（ひへん）　言（ごんべん）　扌（てへん）

かんじ 3・29・3

■言葉に合う い味《み》をえらんで、線でむすびましょう。

こづかい帳・	・すきなことを書く
手帳・	・お金の出し入れを書く
自由帳・	・予定などを書く

予感・	・同じように考えること
同感・	・きらいで、いやな気持ち
反感・	・何かが起こりそうだと思うこと

■ （　） の中から正しい漢字をえらんで、じゅく語を作りましょう。

□《しょう》店　　□《しょう》数点　　□《しょう》月　　文□《しょう》

（正　章　小　商）

時□《かん》　　□《かん》字　　□《かん》想　　旅□《かん》

（感　漢　館　間）

いろいろな読み方・使い方

感	感想文《かんそうぶん》	感心《かんしん》　感覚《かんかく》
想	感想文《かんそうぶん》	想像《そうぞう》　空想《くうそう》
章	校章《こうしょう》	文章《ぶんしょう》　章節《しょうせつ》
詩	詩《し》	詩集《ししゅう》　詩人《しじん》
由	自由帳《じゆうちょう》	理由《りゆう》　由来《ゆらい》
帳	自由帳《じゆうちょう》	日記帳《にっきちょう》　帳面《ちょうめん》

かんじ 3・30・1

相・談・意・全・部・去・身

相談《そうだん》

みんなで相談する

意見《いけん》

意見を言う

全部《ぜんぶ》

葉が全部落ちた

去年《きょねん》

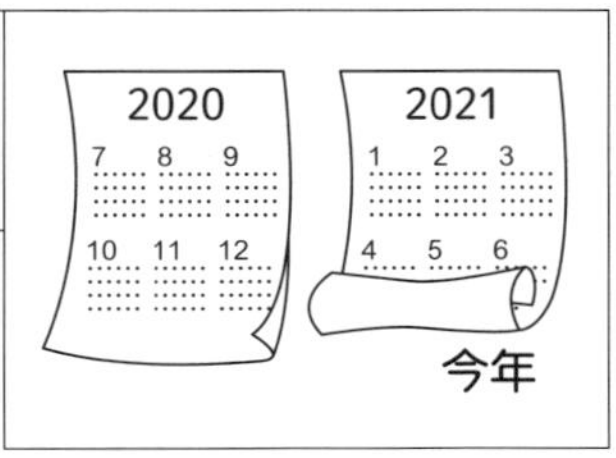

去年のカレンダー

身長《しんちょう》

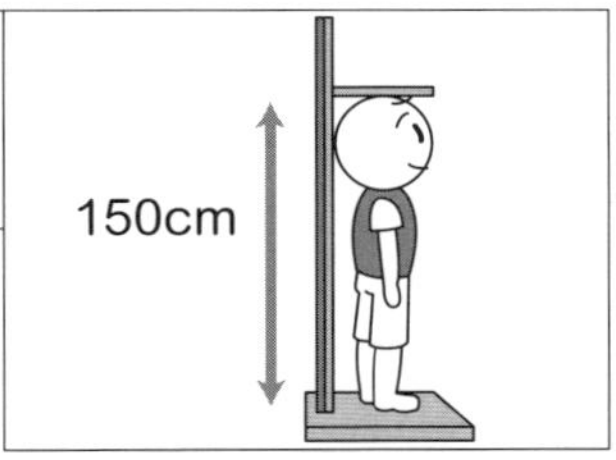

身長をはかる

相 意 部 身

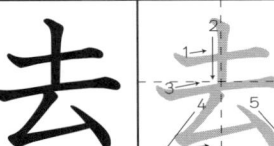

談 全 去

かんじ 3・30・2

■（　　）の中から合う言葉をえらびましょう。

・学級会で自分の（ 意見・意味 ）を言います。

・みんなで（ 相談・意見 ）して、うさぎの名前を決めました。

・１年生の漢字は（ 全体・全部 ）書けるようになりました。

・今年の夏は（ 来年・去年 ）より暑いです。

・ぼくは弟より（ 身長・体重《じゅう》 ）が10cm 高いです。

■ ［　　］ の中に入る言葉や数字を、記ろくを見て書きましょう。

	去年	今年
身長	110cm	120cm
体重	25kg	30kg

今年の体重は30kg です。去年は25kg でした。

去年より［　　］kg 重くなりました。

今年の［　　　］は120cm です。［　　　］は110cm でした。

１年間で10cm のびました。

かんじ 3・30・3

■文を読みましょう。そして①～③が文に合っていれば○、合っていなければ、×をつけましょう。

学げい会で『大きなかぶ』をすることになりました。みんなでげきについて相談しました。いろいろな意見が出ました。おじいさんは身長の高い人がすることになりました。げきで使うものは全部、紙で作ることにしました。

①みんなで学げい会について、話し合いました。（　　）
②おじいさんになる人は、せがひくいです。（　　）
③紙で作るのは、大きなかぶだけです。（　　）

いろいろな読み方・使い方

相	相談《そうだん》	真相《しんそう》　首相《しゅしょう》　相手《あいて》
談	相談《そうだん》	面談《めんだん》　じょう談《だん》　対談《たいだん》
意	意見《いけん》	意味《いみ》　用意《ようい》　注意《ちゅうい》　得意《とくい》
全	全部《ぜんぶ》	安全《あんぜん》　全校《ぜんこう》　全体《ぜんたい》　全《まった》く
部	全部《ぜんぶ》	部首《ぶしゅ》　部分《ぶぶん》　部屋《へや》
去	去年《きょねん》	過去《かこ》　去《さ》る
身	身長《しんちょう》	身体検査《しんたいけんさ》　全身《ぜんしん》　身《み》の回《まわ》り

ふくしゅう6（26〜30）

委員・	・こうぎょう
学期・	・ぜんぶ
工業・	・ちゅうおう
中央・	・がっき
全部・	・いいん

地球・	・せかい
太陽・	・はっけん
世界・	・ちきゅう
発見・	・しゃしん
写真・	・たいよう

相談・	意見・	去年・	身長・	校章・
・きょねん	・こうしょう	・そうだん	・いけん	・しんちょう

第１回・	・じゆうちょう
太平洋・	・だいいっかい
感想文・	・たいへいよう
自由帳・	・かんそうぶん

研究・	・しょうわ
道具・	・し
昭和・	・どうぐ
詩・	・けんきゅう

かんじ 3・31・1

路・神・銀・坂・役・号

線路《せんろ》

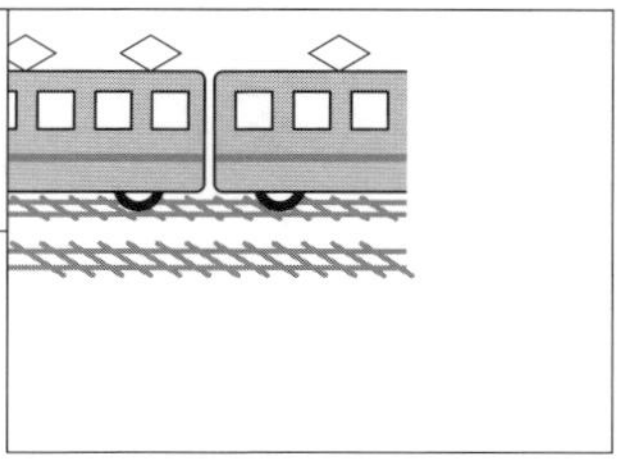

電車は線路を走る

神社《じんじゃ》

神社におまいりする

銀行《ぎんこう》

銀行にお金をあずける

坂《さか》

坂を上《のぼ》る

市役所《しやくしょ》

市役所は市のしごとをする

しん号《ごう》

しん号を見てわたる

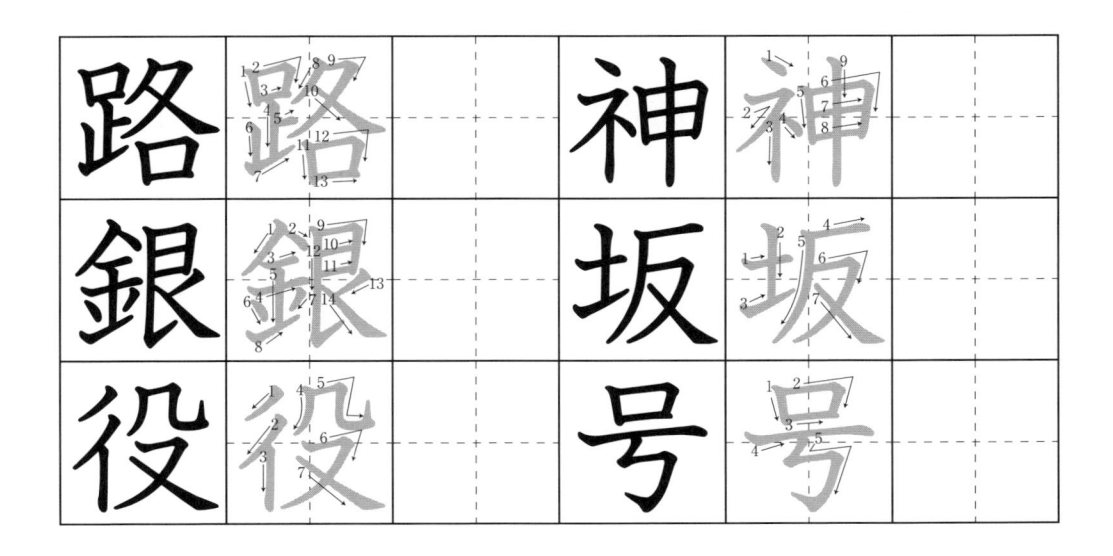

路	路		神	神	
銀	銀		坂	坂	
役	役		号	号	

■（　　）の中から合う言葉をえらびましょう。

・（ 線路・道路 ）は鉄でできています。

・日本では、多くの人がお正月に（ 神社・会社 ）に行きます。

・日本ではドルは使えません。
お父さんは（ 神社・銀行 ）に行って、円にかえました。

・ボールが（ 板・坂 ）の下まで転がって行きました。

・（ 番号・しん号 ）が赤のときは、人も車も止まります。

・ぼくは、アメリカから日本に来ました。
お母さんといっしょに（ 市役所・銀行 ）に行って、
外《がい》国人登《とう》ろくをしました。

■漢字に合う読みがなと意味などをえらんで、線でむすびましょう。

水路・	・せんろ・	・水が流れる所《ところ》
線路・	・どうろ・	・人や車が通る所
道路・	・すいろ・	・電車が通る所

しん号・	・きごう・	・①②③④⑤⑥
記号・	・ばんごう・	・×÷－＋！？＜＞
番号・	・しんごう・	・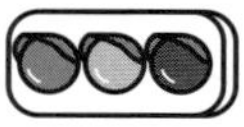

かんじ　3・31・3

■下線の漢字に読みがなを書きましょう。

近くの神社で、笛やたいこの音が聞こえてきました。今日は、村の秋祭りです。わたしは、お母さんと神社におまいりに行きました。道の両がわには、たくさんの店が出ていました。お面と、交通《つう》安《あん》全のお守りを買ってもらいました。

いろいろな読み方・使い方

路	線路《せんろ》	進路《しんろ》　家路《いえじ》
神	神社《じんじゃ》	神話《しんわ》　神父《しんぷ》　神様《かみさま》
銀	銀行《ぎんこう》	金銀《きんぎん》　銀世界《ぎんせかい》
坂	坂《さか》	坂道《さかみち》　上《のぼ》り坂《ざか》　下《くだ》り坂《ざか》
役	市役所《しやくしょ》	役者《やくしゃ》　役目《やくめ》
号	しん号《ごう》	年号《ねんごう》　号令《ごうれい》

問・題・練・品・注

問題《もんだい》

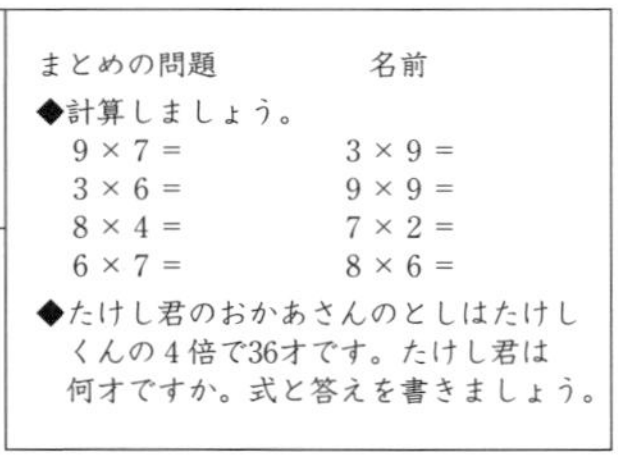

まとめの問題　名前
◆計算しましょう。
9×7＝　3×9＝
3×6＝　9×9＝
8×4＝　7×2＝
6×7＝　8×6＝
◆たけし君のおかあさんのとしはたけしくんの4倍で36才です。たけし君は何才ですか。式と答えを書きましょう。

テストの問題

練習《れんしゅう》

くり返し練習する

作品《さくひん》

作品を見る

注意《ちゅうい》

車に注意する

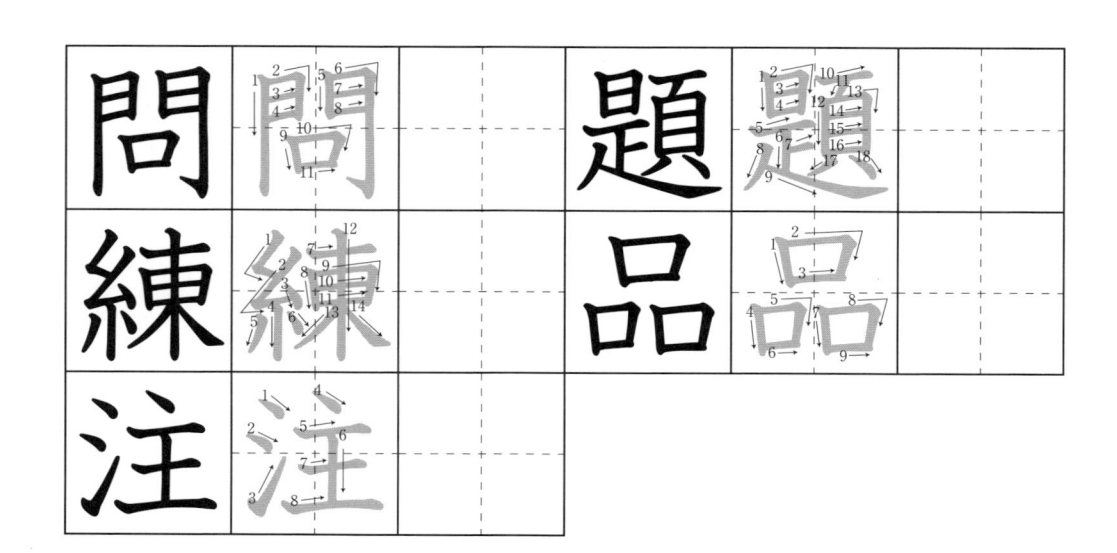

問	問		題	題	
練	練		品	品	
注	注				

かんじ 3・32・2

■ ［　　］の中から（　　）に合う言葉をえらんで書きましょう。

・毎日、鉄ぼうの（　　　　）をする。

・先生が、算数の（　　　　）を黒板《ばん》に書く。

・カッターナイフを使うとき、指を切らないように
（　　　　）する。

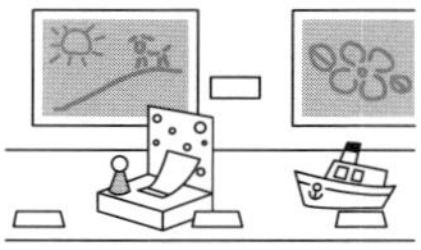

・図工の時間に作った（　　　　）を、てんらん会に出す。

練習　注意　問題　作品

■（　　）の中から合う言葉をえらびましょう。

・お正月に書きぞめをします。何回も（ 予習・練習 ）します。

・漢字テストの（ 道具・問題 ）は、むずかしかったです。

・赤は止まれ！　黄色は（ 注意・練習 ）！　青は進め！

・家で作った（ 作《さっ》家・作品 ）を、学校に持って行きます。

■漢字に合う読みがなと意味をえらんで、線でむすびましょう。

自習・	・　しつもん　・	・わからないことを聞くこと
しつ問・	・　だいめい　・	・自分ひとりで勉強すること
学用品・	・　じしゅう　・	・学校の勉強に使う道具
題名・	・がくようひん・	・絵や作品につけた名前

■文を読んで、下のしつ問に答えましょう。

音楽会があります。わたしのクラスでは「よろこびの歌」を歌います。この曲《きょく》は、ベートーベンの作品です。放《ほう》か後、練習します。みんなの声がなかなか合いません。それが問題です。先生は、いつも「ピアノの音をよく聞いて。」と注意します。

しつ問① 音楽会で歌う曲の題名は何ですか。（　　　　　）
しつ問② 「よろこびの歌」の作曲者はだれですか。（　　　　　）
しつ問③ いつ練習しますか。（　　　　　）
しつ問④ 先生はどんな注意をしますか。（　　　　　）

■ （　　）の中から正しい漢字をえらんで、２字じゅく語を作りましょう。

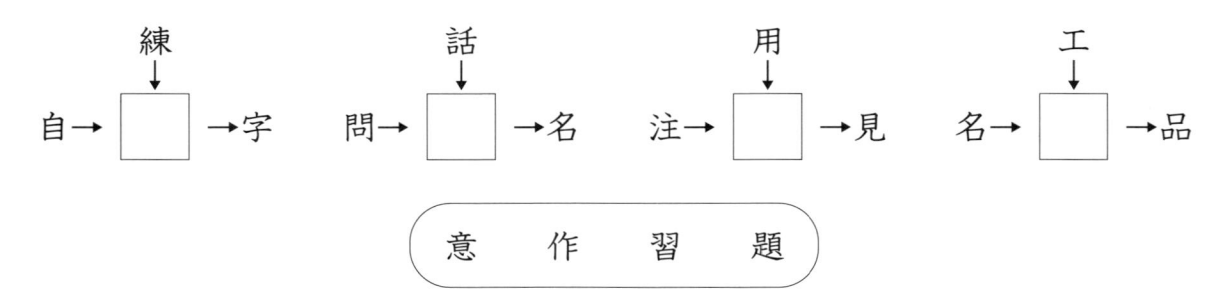

練↓ 自→□→字
話↓ 問→□→名
用↓ 注→□→見
工↓ 名→□→品

（意　作　習　題）

いろいろな読み方・使い方

問	問題《もんだい》	問《と》い
題	問題《もんだい》	題名《だいめい》　宿題《しゅくだい》　話題《わだい》
練	練習《れんしゅう》	練《ね》る
品	作品《さくひん》	品物《しなもの》　新品《しんぴん》　手品《てじな》
注	注意《ちゅうい》	注目《ちゅうもく》　注文《ちゅうもん》　注《そそ》ぐ

かんじ 3・33・1

仕・事・整・農・屋・荷

仕事《しごと》

いろいろな仕事

整理《せいり》

つくえの上を整理する

農業《のうぎょう》

父の仕事は農業だ

花屋《はなや》

花屋と本屋

荷物《にもつ》

荷物を運ぶ

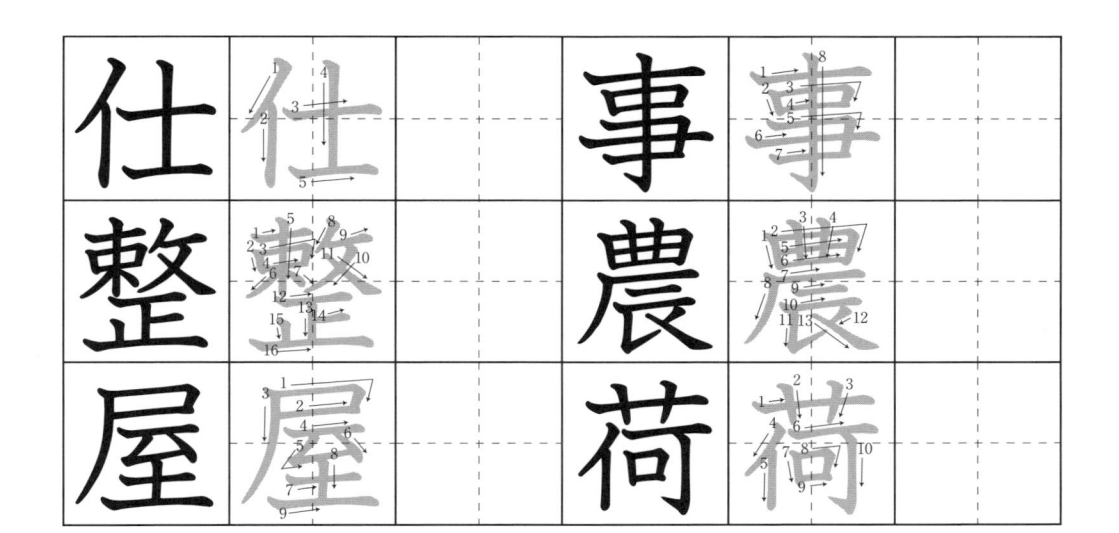

仕	仕		事	事	
整	整		農	農	
屋	屋		荷	荷	

かんじ　3・33・2

■ □ の中から（　　）に合う言葉をえらんで書きましょう。

・たけし君の家は（ 農業 ）をしています。野さいや米を作っています。
　今、お父さんは畑で（　　　　）をしています。

・きみ子さんの家は（　　　　）です。花を売っています。
　お母さんは、市場からとどいた花を（　　　　）しています。

・ゆうびん局の人がオートバイに乗っています。手紙や（　　　　）を
　配《はい》たつしています。

花屋　仕事　荷物　~~農業~~　整理

■しりとり

スタート！　花屋 → □ → 前足 → □ →
友だち → □ → 図工 → □ → 谷 → □ →
月 → 着物 → □ → 海 → □ → 整理　ゴール！

仕事　地図　山　荷物　歌　農業　店

かんじ　3・33・3

■絵と合う言葉を線でむすびましょう。

農具　　農作物《ぶつ》　　農家

荷物　　荷台　　荷馬《ば》車

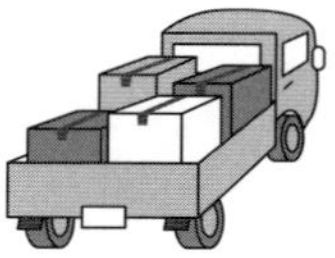
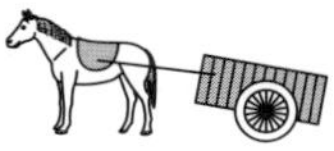

八百屋《やおや》　　家具屋　　写真屋

整理　　整列

いろいろな読み方・使い方

仕	仕事《しごと》	仕組《しく》み　仕業《しわざ》　仕《つか》える
事	仕事《しごと》	事《こと》　事実《じじつ》　火事《かじ》　用事《ようじ》
整	整理《せいり》	整数《せいすう》　調整《ちょうせい》　整《ととの》える
農	農業《のうぎょう》	農村《のうそん》　農家《のうか》　農薬《のうやく》
屋	花屋《はなや》	屋根《やね》　屋上《おくじょう》　屋外《おくがい》
荷	荷物《にもつ》	出荷《しゅっか》　入荷《にゅうか》

温・度・宿・表・湯

温度《おんど》

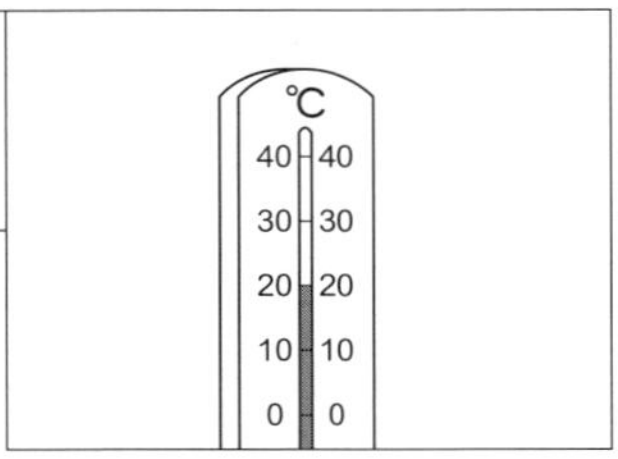

温度をはかる

宿題《しゅくだい》

家で宿題をする

表《ひょう》

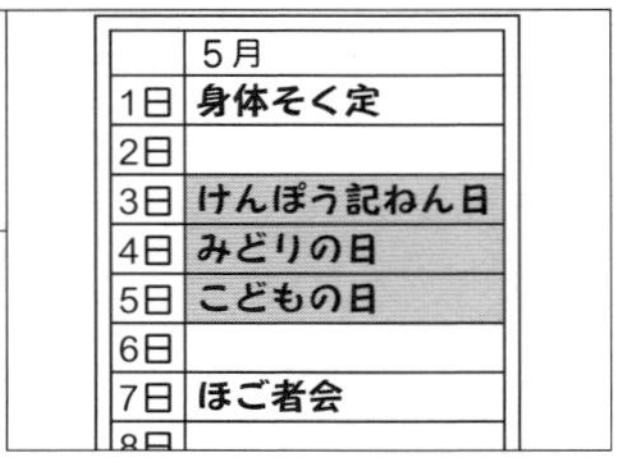

	5月
1日	身体そく定
2日	
3日	けんぽう記ねん日
4日	みどりの日
5日	こどもの日
6日	
7日	ほご者会
8日	

今月の予定表

湯《ゆ》

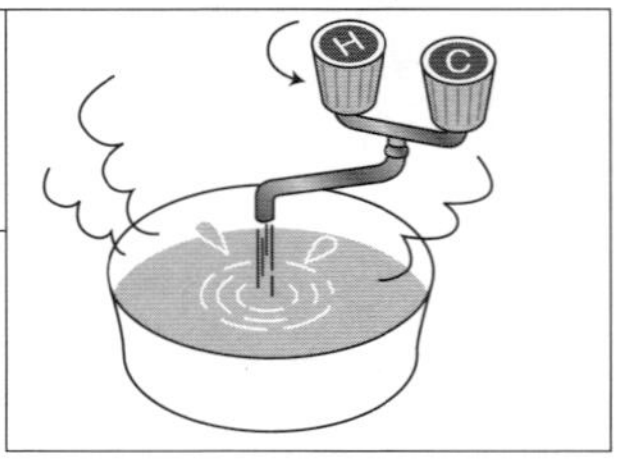

左は湯、右は水

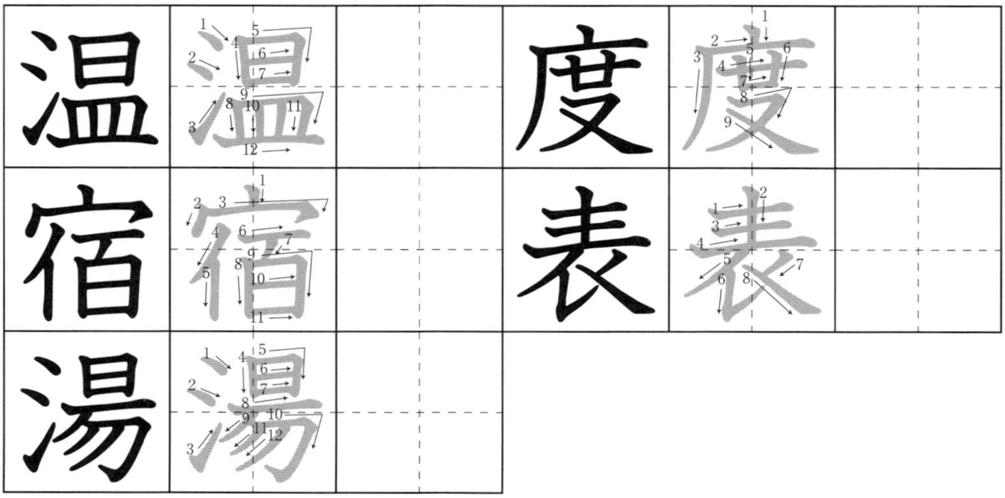

温 度
宿 表
湯

かんじ 3・34・2

■ ［　　］の中から（　　）に合う言葉をえらんで書きましょう。

・カップラーメンは（　　　　）を入れるとできます。

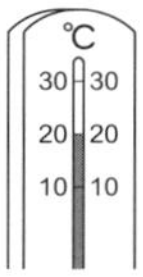

・今、教室の（　　　　）は20度です。

・きゅう食当《とう》番の名前を書いた（　　　　）がはってあります。

今週のきゅう食当番				
月	火	水	木	金
山田・田中	トム・山下	山野・岸	サリー・大山	林・森

・今日の（　　　　）は、漢字の練習です。

温度　宿題　表　湯

■絵と合う言葉を線でむすびましょう。

	9月
1	始《し》業式
2	
3	
：	
15	ひなんくん練
：	
：	
27	運動会
：	

あいうえお
かきくけこ
さしすせそ
たちつてと
・・・
・・・
・・・
・・・
・・・
ん

月	パン、サラダ、牛にゅう
火	カレーライス、牛にゅう
水	：
木	：
金	：

・　　・　　・

・　　・　　・

こんだて表　　予定表　　五十音表

かんじ 3・34・3

■ □ の中から（　　）に合う言葉をえらんで書きましょう。

・水をあたためると何になる？　（　　　　　）
・夏は高くて、冬ひくいのは？　（　　　　　）
・病気のときに飲む物は？　（　　　　　）
・先生に、家でするように言われた勉強は？　（　　　　　）
・病気のときに行く所は？　（　　　　　）
・角度をはかる物は？　（　　　　　）

| 宿題　気温　病院　分度き　湯　薬 |

■かん係《けい》のある言葉を線でむすびましょう。

人や動物・	・気温
空気・	・体温
プール・	・室温
部屋《へや》・	・水温

いろいろな読み方・使い方

温	温度《おんど》	高温《こうおん》　温《あたた》かい
度	温度《おんど》	角度《かくど》　速度《そくど》
宿	宿題《しゅくだい》	合宿《がっしゅく》　宿《やど》
表	表《ひょう》	表紙《ひょうし》　年表《ねんぴょう》　表《おもて》　表《あらわ》す
湯	湯《ゆ》	湯気《ゆげ》　熱湯《ねっとう》

ふくしゅう7（31～34）

線路・	・じんじゃ
注意・	・ゆ
神社・	・せんろ
坂・	・ちゅうい
湯・	・さか

問題・	・ばんごう
作品・	・しゅくだい
番号・	・せいり
宿題・	・さくひん
整理・	・もんだい

予定表・	・れんしゅう
市役所・	・よていひょう
練習・	・おんど
温度・	・しやくしょ

仕事	農業	銀行	花屋	荷物
・	・	・	・	・
・	・	・	・	・
はなや	にもつ	しごと	ぎんこう	のうぎょう

まとめの問題1

■習った漢字を部首《ぶしゅ》ごとに分けましょう。

木	きへん	林
氵	さんずい	
亻	にんべん	
糸	いとへん	
礻	しめすへん	
言	ごんべん	
扌	てへん	

林　談　深
終　使　練
植　調　波
礼　油　投　横
住　緑　福
指　根　係
神　詩　拾

彳	ぎょうにんべん	
阝	こざとへん	
金	かねへん	
日	ひへん	
飠	しょくへん	
禾	のぎへん	
方	ほうへん	

役　秋
陽　旅　晴
昭　後　鉄
院　秒　待
飲　暗
階　銀　族
館　和

宀	うかんむり	
⺮	たけかんむり	
艹	くさかんむり	
辶	しんにょう／しんにゅう	
心	こころ	
广	まだれ	
癶	はつがしら	
門	もんがまえ	

開　笛　庫
荷　悪
実　間　運
筆　薬
悲　守
進　発　庭
度　箱
安　登　問
遊　落

まとめの問題２

■送りがなが同じ漢字を集めましょう。

問題①

取	る		う

拾　乗　使　~~取~~　習　送

問題②

	つ		ぶ

持　遊　勝　打　運　転

問題③

	ける		す

助　放　負　消　返　受

まとめの問題３

■れい題のように下線の言葉の読みを □ に書きましょう。その後、□ のひらがなを上からじゅんに読み、その言葉を漢字で（　　）に書きましょう。

れい題

・プリントを配る。

・かりた本を返す。

・祭りに行く。

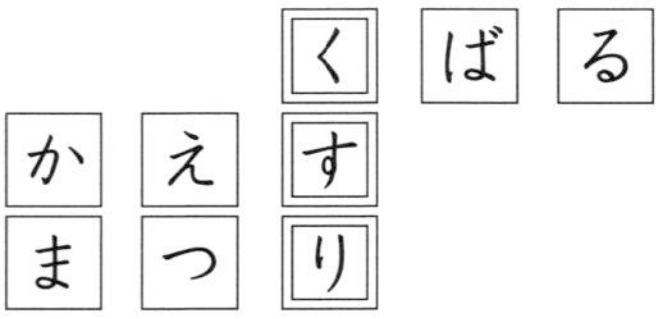

（　薬　）

問題①

・近道を通る。

・朝、７時に起きる。

・美しい王宮。

・ボールを受ける。

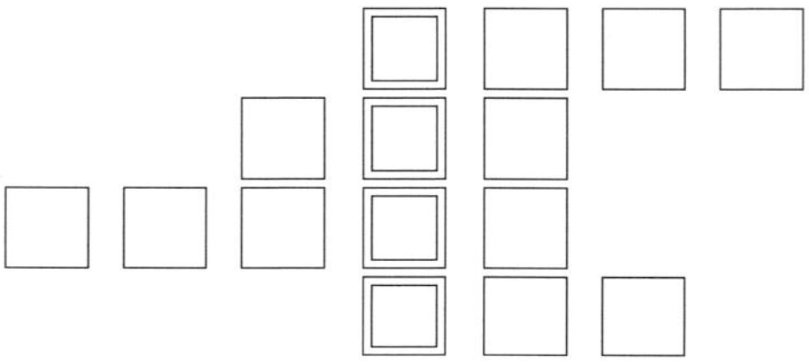

（　　　　）

問題②

・この荷物は軽い。

・図書館へ行く。

・自由帳

・１列にならぶ。

・みんなで相談する。

・せきが出て苦しい。

・習字の時間。

・病気で入院した。

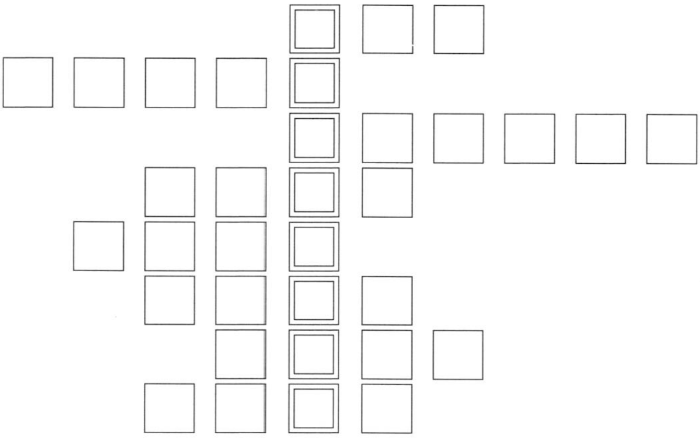

（　　　　）

☆答えは115ページにあります。

まとめの問題４

■れいのように漢字の読みを □ に書いて、漢字パズルをかんせいさせましょう。

	1 は	2 し	3 ら	
4	5	6 ろ		7
	8		9	10
11	12	13	14	
15		16		

問題①

たて

1．反対
2．白
7．岸
9．向く
11．竹
13．息

横

1．柱
4．線路
9．虫
11．体育

1		2	3	4
5	6	7		
8		9	10	11
12	13	14		15
16		17		18

問題②

たて

1．委員会
2．研究
11．農家

横

2．毛虫
5．意見
9．着物
12．歌手

1		2	3	4
5	6	7		
	8		9	10
11	12	13	14	
15		16	17	18

問題③

たて

1．追う
2．引く
6．午前
9．子馬
11．勝つ
13．外

横

2．表
5．動く
9．声
11．感想
16．止まる

☆答えは115ページにあります。

■さいしょの読みが同じ漢字を線でたどり、スタートからゴールまで進みましょう。

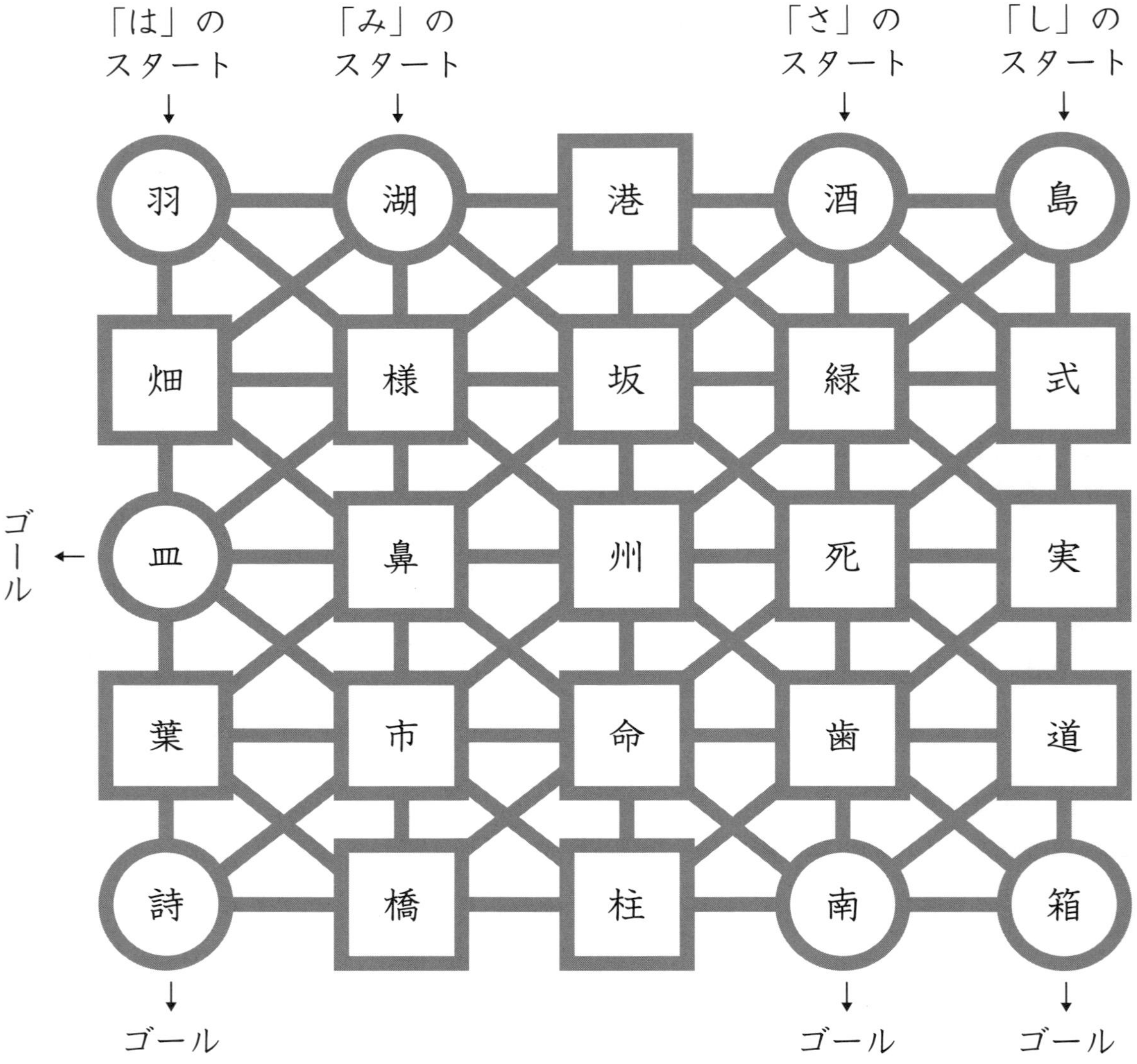

■スタートからゴールまで1回も通らない漢字が1つあります。その漢字と読みがなを書きましょう。

（　　　）

☆答えは115ページにあります。

答え

3-11-3 今日、学校で、かん字を五つ習いました。家で、おばあさんに手紙を書きました。習ったかん字を使いました。おばあさんのじゅうしょはむずかしいので、お母さんが書いたのを写しました。うまく書けなくて、何回も消しました。

まとめの問題3

①

			ち	か	み	ち
		お	き	る		
お	う	き	ゅ	う		
			う	け	る	

（　地球　）

②

				か	る	い			
と	し	ょ	か	ん					
				じ	ゆ	う	ち	ょ	う
		い	ち	れ	つ				
	そ	う	だ	ん					
		く	る	し	い				
			し	ゅ	う	じ			
		び	ょ	う	き				

（　漢字練習　）

まとめの問題4

①

	1 は	2 し	3 ら	
4 せ	5 ん	6 ろ		7 き
	8 た		9 む	10 し
11 た	12 い	13 い	14 く	
15 け		16 き		

②

1 い		2 け	3 む	4 し
5 い	6 け	7 ん		
8 ん		9 き	10 も	11 の
12 か	13 し	14 ゅ		15 う
16 い		17 う		18 か

③

1 お		2 ひ	3 ょ	4 う
5 う	6 ご	7 く		
	8 ぜ		9 こ	10 え
11 か	12 ん	13 そ	14 う	
15 つ		16 と	17 ま	18 る

まとめの問題5

「は」のつく漢字　羽→畑→鼻→葉→橋→柱→歯→箱
「み」のつく漢字　湖→港→緑→実→道→南
「さ」のつく漢字　酒→坂→様→皿
「し」のつく漢字　島→式→死→州→市→詩

通らない漢字　命（いのち）

画数さくいん

編著者

武蔵野市帰国・外国人教育相談室教材開発グループ

淡島律　加藤順子　河北祐子　小林さおり　田上淳子　永島千代子

野崎斐子　矢竹富美代

イラスト

向井直子

絵《え》でわかる かんたんかんじ200

2006年３月20日　初版第１刷発行

2024年６月６日　第 11 刷 発 行

編著者　武蔵野《むさしの》市《し》帰国《きこく》・外国人《がいこくじん》教育《きょういく》相談室《そうだんしつ》教材《きょうざい》開発《かいはつ》グループ

発行者　藤嵜政子

発　行　株式会社スリーエーネットワーク

〒102-0083　東京都千代田区麹町３丁目４番

トラスティ麹町ビル２F

電　話　営業　03(5275)2722

編集　03(5275)2725

https://www.3anet.co.jp/

印　刷　松澤印刷株式会社

ISBN978-4-88319-377-6　C0081

落丁・乱丁本はお取り替えいたします。